3333
PONTOS
RISCADOS
E CANTADOS

Volume 2

3333 PONTOS RISCADOS E CANTADOS

Volume 2

5ª edição
5ª reimpressão

Rio de Janeiro
2020

CIP-BRASIL. CATALOGAÇÃO-NA-FONTE.
SINDICATO NACIONAL DOS EDITORES DE LIVROS, RJ.

T73

3333 Pontos riscados e cantados, vol. 2 – 5. ed. –
Rio de Janeiro: Pallas, 2011.

ISBN 978-85-347-0320-8

1. Orixás – Cantigas. 2. Candomblé. 3. Umbanda. 1. Título:
Pontos riscados e cantados. II. Série.

98-0840 CDD 299.67
CDU 299.6

Pallas Editora e Distribuidora Ltda.
Rua Frederico de Albuquerque, 56 – Higienópolis
CEP 21050-840 – Rio de Janeiro – RJ
Tel./fax: (021) 2270-0186
www.pallaseditora.com.br
pallas@pallaseditora.com.br

SUMÁRIO

NOTA AO SEGUNDO VOLUME

Sete anos após o lançamento do primeiro volume de 3333 Pontos Riscados e Cantados, a Editora Pallas entregou a seus leitores o segundo volume da sua já consagrada coleção, cujo 1º volume estava na 4ª edição.

Neste segundo volume agora reeditado, o trabalho de pesquisa e compilação veio enriquecido de mais 750 Cantigas e Pontos Cantados e 216 traços de Pontos Riscados.

Pouco temos a acrescentar quanto à importância deste 2º vol. Os leitores, decerto, já leram a Nota no início do primeiro volume (capa amarela) onde afirmamos: "O conteúdo expressa repertório fecundado no espectro de crenças praticadas por milhões, crenças estas, sincréticas, um amálgama do místico da África, do mágico dos indígenas brasílicos, fé cristã e inegáveis influências orientalísticas."

Ficamos nas palavras acima, nada de novo na motivação do lançamento deste segundo volume.

Nos dois volumes editados estão arrolados 1.983 Cânticos/ Pontos Cantados e Pontos Riscados. A coleção constitui, assim, um amplo acervo de elementos rituais de orixás e entidades em várias religiões brasileiras de matriz africana e indígena.

H. de A.

ABERTURA DOS TRABALHOS

No abrir da nossa Umbanda
Eu quero é corimar
Oxalá me dá licença
Eu quero é corimar
E no abrir da nossa Umbanda
Eu quero é corimar.

Eu abro esta gira com Deus
Eu abro esta gira com Deus
Eu abro esta gira com Deus
Com Deus eu abro
Eu abro esta gira com Deus.

Abrimos a nossa gira
Pedimos de coração
E ao nosso Pai Oxalá
Para cumprir nossa missão.

Banda eu, como gira
Como gira dentro de um Gongá
Banda eu como gira
Como gira dentro de um Gongá
Gira pra todas as giras
Gira estes filhos de Fé.

OXALÁ-XANGÔ-OMOLU-OXUM-OXOSSE-OGUM-IANSÃ-IEMANJÁ

DE OXALÁ

Pemba de tamanangá
Pemba, pembá
Pemba de Pai Oxalá
Pemba, pembá
Pemba de todos orixás
Pemba, pembá...
Pemba, pembá.

*

Bendito louvado seja,
O nome de Oxalá,
O nome de Oxalá, á, á,
Bendito louvado seja,
O nome de Oxalá, á, á,
E mando pro fundo do mar,
Iemanjá,
Iemanjá,
Os pedidos dos filhos de Oxalá.

*

Ó, pomba branca,
Pombinha de Oxalá.
Ó, pomba branca,
Pombinha de Oxalá.

Oh, pomba branca
Pombinha de Oxalá,
Pombinha branca
De todos os orixás.

*

É o nosso Pai Oxalá
É o nosso Pai Oxalá.
Ele é o Rei do Mundo
Ele é o Rei do Mundo.
Os raios de seu esplendor,
Venha nos iluminar
Ele é o Rei do Mundo.
É o nosso Pai Oxalá.

*

Oxalá, meu Pai,
Tem pena de nós, tem dó.
Oxalá meu Pai,
Tem pena de nós, tem dó.
A volta do mundo é grande.
Seu poder ainda é maior.
A volta do mundo é grande
Seu poder ainda é maior.

*

Abre a porta, ó gente,
Que lá vem Pai Oxalá.
Vem cansado
Pra ajudar este Gongá.

*

Oxalá nosso Pai
Ele vem com sua luz
Ele traz a sua paz.
Oxalá nosso Pai
A banda vem nos firmar.

*

Oxalá foi quem mandou
Ele mandou iluminar
Mandou iluminar
Os seus filhos
E iluminou este Gongá.

Oxalá iluminou
Iluminou o mundo inteiro
Ilumina todos os seus filhos
E também este Gongá

*

É o Orixá Maior
O nosso Pai Oxalá
Quem ilumina seus filhos
Pois é o dono deste Gongá.

Oxalá é o Rei do mundo
Oxalá abençoou,
Abençoou a todos seus filhos
Ele vai e torna a voltar.

DE XANGÔ

Quando a lua apareceu
O leão da mata roncou,
A passarada estremeceu
Olha a cobra coral, piou, piou, piou.

Olha a coral piou.
Salve o povo de Ganga ô,
Chegou seu Rei de Umbanda,
Saravá nosso Pai Xangô.

*

Lá no alto da pedreira
A faísca vem riscando
Aguenta a mão Cabra de Força
Que a faísca vem queimando,
Que a faísca vem queimando.

*

Estava assentando na minha tarimba
Estava rezando pra Xangô
Bateram na porta, alguém me chamou
Bateram na porta, meu mano me
(chamou
Bateram na porta, meu mano me
(chamou.

*

Xangó é corisco
Que nasceu na trovoada
Ele deita na pedreira
Levanta de madrugada

*

Eh... Xangô Maior!
Xangô da Lei Maior!
Na Canjira de Umbanda,
Inda ioiô. Xangô da Lei Maior.

*

Xangô está no reino
Ele veio das ondas do mar
Ele é pombinha sem lei,
Nosso pai nos diz o que quer
Nos diz quem és, nos diz
Oh! que quer.
Oh! que quer.

*

Bamba aruê, a terra é da Jurema
O leão veio das matas,
O meu grito é muito forte,
Meu machado tem bom corte
O meu rei é Xangô.

*

Queguelé, queguelé Xangô
Oh! Ele é filho da cobra coral
Olha preto tá trabalhando
Olha branco não tá olhando
Olha branco não tá olhando.

*

Sua machada é de ouro,
Sua machada é de ouro,
É de ouro, é de ouro,
É de ouro, é de ouro!
Machadinha que corta mironga
É machadinha de Xangô.

*

Já trovejou lá na pedreira,
Meu Pai Xangô,
Ele vem chegando.
Salve lansã, Mamãe Oxum
São orixás
Donos da cachoeira.
Caô, caô cabecilê
Meu Pai Xangô
É orixá que ensina ler e escrever.

*

Ô... Ganga ô!...
A terra é da Jurema,
O machado tem bom corte
O leão é lá das matas,
A pedra é tão forte
E o rei é Xangô!...

*

Voltei a sorrir
De contentamento
Pedi para Xangô
Fui atendido.

Eu me lamento.
Xangô, o Senhor é Pai
Xangô levanta
Filho que cai.

*

Salve a fé e a caridade!
Salve o povo da Umbanda!
Pai Xangô já vem minha gente
Vem chegando de Aruanda.
Salve o povo de cor rosa!
Salve os filhos da Umbanda!

*

Xangô é corisco,
Nasceu da trovoada.
Xangô é corisco,
Nasceu da trovoada.
Ele mora na pedreira
Levanta de madrugada.
Ele mora na pedreira,
Levanta de madrugada.

*

Abrindo a minha engira
Com Zambi e com Xangô.
Abrindo a minha engira,
Com Zambi e com Xangô.
Saravá, seu Alafim.
Saravá, seu Agodô.
Saravá, seu Aganju.

*

Encruza, encruza,
Na fé de Alafim, encruza.
Encruza, encruza,
Na fé de Aganju, encruza.

Encruza, encruza,
Na fé de Alafim, encruza.
Encruza, encruza,
Na fé de Abomi encruza.

*

Xangô meu Pai já vem
Minha gente,
Vem chegando de Aruanda,
Ele vem com muito amor.
Vem de cima da pedreira,
Saravá, meu Pai Xangô!
Salve os filhos da Umbanda.

*

O ronco da pedreira
E da trovoada
Ecoou lá na mata.
Ecoou lá na serra
Ecoou lá na serra.

Todos os filhos de Xangô,
Todo o povo de Xangô,
Chegou cá na terra,
Chegou para a guerra.

*

Eu vi Santa Bárbara e Xangô.
Estavam sentados em cima da pedra...
Estavam rezando pra todos os seus filhos
Xangô é homem que vai à guerra.

*

Lá no alto da pedreira
Pai Xangô se assentou,
Quem rola a pedra na pedreira
É meu Pai Xangô.
Quem rola a pedra na pedreira
É meu Pai Xangô.
Kaô, kaô meu Pai,
Kaô Xangô das suas 7 Montanhas.

*

O ronco da pedreira
É uma trovoada
Já se ouviu na serra
Onde mora meu Pai Xangô.
salve a Pedra de Xangô!
Saravá Pai Xangô!

*

Pedra rolou, meu Pai
Lá na pedreira.
Firma seu ponto
Meu Pai, na cachoeira.

*

Pererá Xangô, na calunga
Pererá Xangô
Pererá nosso Pai
Toma conta de filhos caburé (Bis)

Déo, déo, decá, caô
Dêo, déo, decá, Xangô. (Bis)

*

Ó rei do mundo
Ó rei do mundo
Dizem que Xangô
É nosso Pai.
A cangira girou
Ó rei do mundo.
Ó rei do mundo.

*

Xangô é o dono da pedra
Oxosse é o rei da Macaia
Ogum é o dono da lança
E São Miguel da balança (Bis)

*

Xangô tem seu livro na pedra
Ogum tem sua lança
Oxosse tem sua flecha
E Miguel sua balança.

*

Ele é o dono da trovoada
Caô Cabecilê
Saravá meu Pai Xangô
Em cima da pedreira
Saravá meu
Pai Xangô
Saravá este Congá.

*

Dizem que Xangô
Mora na pedreira
Mas não é lá sua morada verdadeira
Ele mora na cidade da Luz
Onde vive a Virgem Santa
Mãe do Menino Jesus.

*

Xangô, Xangô, Xangô,
Xangô, Caô meu Pai
Foi o Senhor mesmo quem disse
Filho de Xangô não cai.

*

Subi na pedreira, subi
Uma pedra rolou
Como um corisco de Xangô.

*

Trovoada roncou lá no céu,
Trovoada roncou lá no mar
E todos seus filhos cantavam
Era Pai Xangô que desceu.

*

Meu Pai São João Batista,
Ele é Xangô,
É dono do meu destino até o fim.
O dia em que eu perder a fé
No meu Senhor,
Que role essa pedreira
Sobre mim.

*

Lá no alto da pedreira
A Jurema se assentou
Ogum, Ogum
Salve nosso Pai Xangô.

*

Quem rola a pedra
Na pedreira é Xangô.
Quem rola a pedra
Na pedreira é Xangô.
Vivô, na coroa de Zambi.
Vivô, na coroa de Zambi e Xangô.

*

Eu estava dormindo lá na serra
Quando minha mãe me chamou.
Acorda, é hora.
Venha ver o brado de Xangô
Xangô caô, caô cabecilê.

*

Ele é Xangô da lei
Ele é o rei da Justiça
Ele é o orixá da pedra
Que trabalha com trovoada
E le vem lá do alto da serra
Ele é orixá da lei.

*

Xangô, Xangô, Xangô,
Xangô Caô meu Pai
Foi o senhor mesmo quem disse
Que filho de Xangô não cai.

*

Em cima daquela pedreira
É o reino de Pai Xangô, ô
Ele vem lá de Aruanda
Ele vem com muito amor
Ele vem rolando pedra
Saravá meu Pai Xangô.

*

As águas rolavam
Cachoeira roncava
De repente parou
Caô cabecilê
Saravá a nossa banda
Ó léléô caô.

*

Eu sou orixá
Eu sou Xangô
Na minha pedreira
Ninguém pode demandar

*

Em cima daquela pedra
Tem um livro que é de Xangô
Caô, Caô
Caô cabecilê.

*

Nas margens do Jordão
Xangô Agodô

Por ordem de Oxalá
Xangô batizou.
Xangô batizou Oxalá
Espírito Santo iluminou
Na margem do Jordão
O nosso Salvador

*

Meu pai Xangô
Seu Alafim, seu Agodô
Me dê malame
Pai Xangô me dê agô.

Xangô Menino

Quanta florzinha no jardim
Florzinha que vem de mim
É dada com amor
É dada com carinho, aceitem todos,
Que é do amigo Xangozinho.

*

Eu tava cantarolando
Musiquinha de muita luz
Musiquinha que lhe dá paz
É inspirada por Menino Jesus.

*

Onde está Xangô Menino?
Eu estou no colégio.
Meu colégio é morada
De Oxalá abençoado.

Eu sou Xangô Menino
Eu na terra, eu no céu,
Eu no mar
Eu no mundo a brilhar
Eu na terra, eu no mar,
Eu no Espaço Infinito

*

Chô, chô, chô andorinha
Leva estes anjos pro céu andorinha.
Chô, chô, chô andorinha
Leva estes anjos pro céu andorinha.

*

Xangô é Rei do Céu
Xangozinho é rei de Ibeijada
Eu cheguei aqui na banda
Eu vim pra curar.
Lá na minha Aruanda,
Me chamam de doutorzinho,
Eu venho na força
De Pai Oxalá e Oxalá Menino

Despedida

Meu pai Xangô
Deixa esta pedreira aí,
A Umbanda está lhe chamando
Deixa esta pedreira aí.

*

Levai todos Xangô
Maleme meu pai
E diz a ele
Quando ele voltar
Peça licença a Pai Oxalá.

*

Pai Xangô vai pra Mina
Ele é orixá.
Pai Xangô vai pra Mina de Oxalá,
Ia, ê, ia, á
Pai Xangô vai pra Mina de Oxalá,
Ia, ê, ia, á

*

Meu Pai Xangô
Já birimbou na aldeia
Xangô já birimbou na aldeia.
Já birimbou na aldeia
Xangô já birimbou na aldeia.

*

Xangô já vai
Xangô já vai,
Já vai pra Aruanda
Já vai pra Aruanda.
Atenção meu pai
Atenção meu pai.
Proteção pra nossa banda,
Proteção pra nossa banda.

DE OMOLU

O senhor das almas
Não seja para mim severo
Ele é Omolu
Rei do cemitério.

*

Oxalá é o rei
Venha me valer
O Velho Omolu
Atotô Obaluaê.

Atotô Obaluaê
Atotô babá
Atotô Obaluaê.
Atotô é orixá.

*

Vem chegando um velhinho,
Para lhe abençoar.
Vem chegando um velhinho,
Para lhe abençoar.
Velho Atotô, saravá Pai Oxalá.
Velho Atotô, saravá Pai Oxalá.

*

Meu pai Oxalá
É o rei, venha nos socorrer
Meu Velho Atotô,
Omolu, Obaluaê.
Omolu, Obaluaê.

Quê, querê, quê, quê, ô Ganga
Pisa na macumba de Ganga.
Quê, querê, quê, quê, ô Ganga
Saravá Seu Omolu, que é Ganga.

*

Ai Cangira Mungongô
Cangira Mungongô.
É de Cangira auê
É de Cangira auê
É de Cangira auê!

Omolu senhor das almas
Tem pena de mim, tem dó
A volta do mundo é grande
Seu poder inda é maior.

*

Terê-rê-terêrê Omolu
Egô, egô, Omolu,
É de pemba Omolu
É de paz Omolu
Terêrê-terêrê, Omolu
Egô, egô, Omolu.

*

O Velho Omolu
Vem chegando devagar
Apoiado no seu cajado
Vem na banda saravá.

Omolu dê
Senhor da terra
Atotô Obaluaê.

*

Oi saravá, saravá!
O rei Omolu vai chegar
Ele é rei, é rei na Quimbanda
É o maioral!
É o maioral!

*

Quem é dono do baú,
É o mestre Omolu
Quem é dono do baú,
É o mestre Omolu

Lá no cemitério
Numa catacumba
Eu vi um anjo,
Que caminhava de corcunda!

*

Ele é um velho
Que mora muito
Muito longe
Na sua casa de palha.

Ele chora mironga
Ele chora mironga
Ele chora mironga
No mironguê.
No mironguê.

*

Oxalá é o rei do mundo
Oxalá é o meu senhor
Omolu. dono da peste.
Obaluaê, atotô!

*

E lá vem seu Omolu
Na porta do cemitério
Ele vem lá de tão longe
Das catacumbas do inferno.

*

Um passarinho cantava longe
E de repente ele voou
Era um velho caminhando na estrada
Era o Velho Omolu, atotô.

*

Com palha africana
Lá vem Seu Omolu
Ele é orixá, ele é, sim senhor
Ele é o orixá dono da Calunga
Sua estrela quem acendeu
Foi Ogum Megê.

*

Lá vem o homem da peste,
Vestido de palha ele vem,
Ele é Omolu o senhor do cemitério
Atotô meu Pai
Toma conta do cruzeiro.

*

Lá vem Omolu
Ele vem la da Calunga
Ele corre gira, ele corre
Sem parar, se ele corre
Os quatro cantos do mundo
Saravá Omolu, vem Atotô.

No portão do cemitério
Seu Omolu chorou
Seu Omolu chorou.

*

Oi saravá, saravá
O rei Omolu vai chegar
Ele é rei, é rei na Quimbanda
É o maioral.

Ele é o rei do cemitério
Que corre a sua gira
Vai voltar para o cemitério
E lá continua a girar
E é lá no cemitério
Que todo mal vai levar.

Ele correu, ele correu

Os quatro cantos do mundo,
Ele correu e agora foi correr
Os quatro cantos do cruzeiro.

*

Omolu Atotô Obaluaiê
Ele é o rei da peste
Ele é o rei da bexiga
Ele vem com força
Ele vem de Aruanda.

Ele é um velho
Que mora muito longe
Na sua casa de palha
Ele chora mironga
Ele chora no mironguê.

*

Oxalá mandou
Seu Omolu correr os quatro cantos
Do mundo. Oxalá mandou o Velho
Caminhar por este mundo afora.

DE OXUM

Vai buscar, vai buscar, vai buscar
Proteção de Mamãe Oxum
Para este filho em seu gongá.
Seja bem-vinda Mamãe Oxum.
Nossa mãe de muito amor
Venha nos salvar
Pela cruz do Senhor
Pela cruz do Senhor.

*

Oxum é...
Oxum é...
Oxum á...
Vem saravá.
Vem saravá.

*

Oxum mariou
Oxum mariou
Ariarou, ariará
Ariará, ariarou.

*

Aué baerissou
Aué baerissou
É, é, é nossa Oxum
É, é, é nossa Oxum
É, é, é nossa Oxum.

*

Quinguelé, quinguelé
Mamãe Cinda, quinguelé
Ó sinhá gongá, quinguelé
Mamãe Cinda, quinguelé
Ó sinhá gongá, quinguelé.
Ó sinhá gongá, quinguelé.

*

Cinda, ó mamãe, ó cindé
Olha a Cinda da cobra coral
Cinda, ó mamãe, ó cindé.
Olha a Cinda, como a Cinda é.
Olha a Cinda, como a Cinda é.

*

Ó rosa de ouro
Maxumbembé, maxumbembá.
Olha maxumbambá
Maxumbambá oriá.
Maxumbambá oriá.

*

Ouvi um brado de Mamãe Oxum
No alto da cachoeira.
E ela bradava tanto
Esperando Ogum
Para jurar bandeira

*

Atraca, atraca, quem vem na onda
É Nanã.
Atraca, atraca, quem vem na onda
É Nanã.
É Nanã, é Oxum, é Nanã.
Ei, ah, é Nanã,
É Oxum quem vem saravá.
É a sereia do Mar, ei á.

*

No alto da cachoeira
Tem uma gruta do lado de lá,
Tem um banquinho de ouro
Onde Mamãe Oxum vai se sentar.

*

Oxum é mãe dos orixás
Está na terra e na cachoeira
E está no mar
Eu vou pedir a Oxum
Que abençoe
Seus filhos e seu ogã

*

Oxum suas águas correm
És dona da cachoeira
Oxum suas águas correm
És dona da cachoeira
Oxum minha Mãe formosa
Doçura e pureza
Que se refletem na rosa.

*

O Nanã, cadê Oxum?
Oxum está nas ondas do mar
Ela é dona do Gongá
Ó Nanã, Oxum vem cá.

*

Ó estrela, ó estrela
Estrela que clareou este Gongá.
Estrela de Mamãe Oxum
Estrela de meu glorioso
Pai Ogum.

*

É com seu barco
Que elas vão navegar
Vou pedir a Mamãe Oxum
E ao povo da água
Para vir me ajudar.

*

Mamãe Oxum, Mamãe Oxum
É a dona da cachoeira
Mamãe Oxum é dona deste Gongá
Vem salvar os filhos teus
Vem teus filhos saravá.

DE OXOSSE

Chamada

É Zambi quem governa o mundo
É Zambi quem governa o mundo
Só Zambi clareia as estrelas
E quem clareia Oxosse lá na Jurema
Oquê, oquê, cabloco.

*

Umbanda,
Onde estão os seus caboclos?
Umbanda,
Onde estão os seus caboclos?
Eles vêm de longe
Olha que Oxosse vem
Do centro da Juremá
Com seus saiotes de penas,
Na Umbanda saravá.

*

Uma flecha caiu do Céu,
E a mata se alegrou
Uma flecha caiu do Céu
E a mata se alegrou.
Aí vem Oxosse
O nosso defensor.
Aí vem Oxosse
O nosso defensor!

*

Eu corro terra, eu corro mar,
Até que eu cheguei
No meu país,
Ora viva Oxosse na mata,
As folhas da mangueira
Ainda não caíram.

*

Oh! Viva Oxossean!
Oh! Viva Oxossean!
Somos guerreiro da Umbanda
Oh! Viva Oxossean.

*

Oh! Viva Oxosse, é
Oh! Viva Oxosse, á
Ele é caboclo do mato
Oh! Viva Oxosse, ele é meu pai.

*

Demanda

Corre, corre na cachoeira
Sobre a pedra ela rolou
É Oxosse das cachoeiras
Que sua flecha atirou

*

Banda é, banda é
Oxosse é rei da mata,
Banda é, banda é
Oxosse é rei da Guiné.
Oxosse é rei da Guiné.

*

Oxosse é bambi
Ele é caçador,
Oxosse é bambi ô clime
É rei Matalambô.

*

Oxosse vem.
Vem chegando de Aruanda,
Oxosse vem,
Para salvar filhos da Umbanda

*

Oxosse é rei no Céu!
Oxosse é rei na Terra!
Oxosse é rei no Céu!
Oxosse é rei na Terra!
Ele não desce do Céu,
Sem Umbanda
Ele não desce do Céu
Sem Umbanda
E sem a sua
Mucanga de guerra.
E sem a sua
Mucanga de guerra.

DE OGUM

Baixai, baixai, Ogum de Guia
Ó, vem com vossa espada
Vem salvar os vossos filhos
Que se acham em agonia
Que se acham em agonia

*

Pisa no Congo ó Cangira,
Pisa no Congo ó Cangira,
Ogum seu Cangira mungongô.
Pisa no Congo ó Cangira,
Pisa no Congo ó Cangira.

*

Ogum está de ronda,
Meu Pai vai rondar
Ogum está de ronda,
Meu Pai veio rondar,
Veio abençoar os filhos
De Aruanda e saravá.

*

Ogum, Ogum vem de Aruanda
Vem salvar os vossos filhos
Em nossa lei da Umbanda
Filhos de pemba não cai.

*

Na sua aldeia tem seus caboclos,
Na sua mata tem cachoeira,
No seu saiote tem pena dourada,
Seu capacete brilha na alvorada

*

Ogum a sua capa cobre
Cobre as ondas do mar
Oi diz auê
General da Umbanda
Saravá seus filhos
Saravá para a banda.

*

Ogum Timbirí
Auê, eu vi Nanã
Ogum Timbirí
Ó Nanã da Umbanda

*

Ó Jorge, ó Jorge,
Vem de Aruanda,
Vem salvar os vossos filhos.
São Jorge venceu demanda,
Ogum, Ogum, Ogum meu Pai,
Foi o senhor mesmo quem disse:
Filho de Umbanda não cai.

*

Olha, Ogum tá de ronda,
Miguel está chamando.
Eu não sei quem é que é,
Eu não sei quem é que é.

*

Ogum é orixá da Umbanda,
Na Umbanda ele é um Pai.
Ele chega cá na banda,
Vem seus filhos saravá.
E na volta da sua gira
Ele quebra todo o mal.

*

Seu Cangira mungongô
Olha sua terra mungongô, ó má
Auê, aui, auê,
Olha sua terra mungongô, ó má
Olha sua terra mungongô, ó má.

*

Ogum Iara, Ogum Megê,
Olha Ogum Rompe Mato auê,
Tranca Gira da Umbanda auê,
Ogum Iara, Ogum Megê.

*

Ogum é Pai de tu,
É Pai de tu,
É rei Gongá,
Olha Ogum Sereia
Ele dá, ele dá, ele dá.
Ogum arriou, Ogum arriou
Quem quer a mim chorou,
Quem quer Ogum, a mim chorou.

*

Funda agulha no mar.
Funda agulha no mar.
Com seus cavalos meu Pai
Funda agulha no mar
Funda agulha no mar

*

Ogum meu Pai está rondando
Ogum é guerreiro da Umbanda
Salve Ogum general da Umbanda
Salve Ogum que vence as demandas.

*

No tropel do seu cavalo
A sua espada retinia
Com a espada e com a lança
O inimigo reduzia.

*

Ogum, Ogum vem de Aruanda
Vem salvar os vossos filhos
Em nossa lei da Umbanda
Ogum, Ogum, meu Pai
Foi o senhor mesmo quem disse:
Filhos de pemba não cai.

*

Lá no cruzeiro das almas,
A Umbanda tem um general,
Seu nome é Ogum Megê
Que vem no reino
Pra seus filhos proteger.

*

Ele vem lá da Calunga,
Ele vem fazer o seu trabalho.
Ele é maioral da Umbanda
Quem mandou foi meu Pai Oxalá
Quem mandou foi meu Pai Oxalá.

*

Ogum, Ogum Megê
É de lei,
Ê de lei.
Olha seus filhos meu Pai
Ogum Megê, meu Pai.

*

Ogum Megê
É general da Umbanda,
Com sua espada

Seu Ogum foi guerrear.
Com sua espada.
Com sua lança,
Venceu demandas
Nas terras de Aruanda.

*

Olha a Umbanda lelê
Olha a Umbanda lalá
é Ogum Megê meu Pai
Que baixou pra demandar

*

Ogum Megê
Ê general da Umbanda
Em seu cavalo, montado
Vem general,
Com a sua espada
Ele vem pra guerrear.
O seu nome é Ogum Megê
Neste Gongá

*

Mamãe, que cavaleiro é aquele,
Que pisa com arrogância
Nesta terra?
Ó ele é Ogum Megê
Que veio da batalha
Com sua lança de guerra.

*

Beira-Mar, auê Beira-Mar
Beira-Mar, quem está de ronda
É militar.
Ogum já jurou bandeira
Na porta de Humaitá,
Ogum já venceu demanda
Vamos todos saravá.

*

Quando Ogum pisou na Lua
Fez tremer a Terra,
Nos campos de batalha
Seu Ogum venceu a guerra.

É é é é, é é é, vamos
Saravá nosso Pai,
Ogum Beira-Mar.

*

Beira-Mar chegou no reino
Montado em seu cavalo,
Com sua espada na mão
Esta banda abençoou,
Ele é Ogum Beira-Mar
Vem do reino de Iemanjá.

*

Estava sentado na beira da praia
Quando vi sete ondas passar.
Abra a porta ó gente
Que vem aí Ogum
No seu cavalo branco
Ele veio saravá.

*

Quando Ogum apontou para a serra
Sua espada brilhou na Umbanda
Pela fé acabou com a guerra
E seus filhos venceram demanda.

*

Ele é general Ogum,
Ele foi praça da cavalaria,
Ele tinha sete espadas
Que me defendiam.
Eu quero Ogum
Em minha companhia

*

Ogum não deve fumar
Ogum não deve beber
A fumaça representa as nuvens
E a espuma, as ondas do mar,

*

Ogum é um homem
Que não pede licença,
Na sua aldeia
Ele tem que chegar,

Ele é rei da Umbanda
Que venceu a guerra
Salve Ogum Beira-Mar.

*

Ogum quilê lêlê
Ogum quilá lálá
Ogum quilê lêlê
Vem pisar no Gongá.

*

Senhor general Ogum,
Ele foi praça de cavalaria
Ele tinha sete espadas
Que sem parar reluzia,
De noite até o raiar do dia.

*

Eu vi durante o dia,
Eu vi estrela brilhar,
Eu vi seu Rompe Mato,
Ogum das Matas eu vi

*

Ei gente da Umbanda,
Sopra o vento do mar,
Baixou Ogum Naruê,
Chegou a falange
da Umbanda,
Baixou Ogum Naruê.

Ogum Naruê chegou,
Ogum Naruê baixou,
Eu sou filho da Umbanda,
Ogum não me saravou.

*

Sarava Ogum
E a coroa de Lei,
Saravá Ogum
E a coroa de Lei,
Ogum Malê
Ogum de Nagô.

*

Ogum Iara, Ogum Megê,
Olha Ogum Rompe Mato
Auê!
Ogum Iara, Ogum Megê,
Tranca a engira da Umbanda
Auê!

*

Ogum quando chega do reino
Todo mundo canta, quer saber quem ele é
Ele é Rompe Mato da Umbanda
Ele vem de Aruanda
Salvar filhos da Umbanda, Ogum Iê.

*

Ogum, Ogum
Porque me chamas
Olha o sol, olha a lua
Ventania de Aruanda
Cavaleiro da floresta
Ele é filho da Umbanda

*

Diz Ogum, está no céu,
Não está não!
Diz Ogum, está na lua
Êre rê rê rá
Diz Ogum, está de ronda no Humaitá
Êre rê rê rê rá
Diz Ogum, está de ronda no seu Gongá

*

Ogum é todo Malê,
Malê é linha Nagô
Ogum é todo Malê,
Malê é linha, oh!

*

Vamos saravá, Ogum,
Ogum e a coroa de lei
E Ogum é meu pai
Coroa de nagô
E quem vem lá

Quem vem já
É Ogum na areia.

*

É de lei, é de lei é de lei.
Quando Ogum chegar
Toda a banda vai saravá.
Ele é general de dia,
Ele é Cavaleiro da Virgem Maria

*

Ele é soldado de cavalaria
Ele é soldado damaciano
Ele é soldado da Virgem Maria
Ele é general da Umbanda
Ele gira de noite e de dia
Ele é soldado da Virgem Maria.

*

Ogum é orixá da Umbanda
Na Umbanda ele é um Pai,
Ele chega aqui na banda
Pra seus filhos saravá
E na hora da sua gira,
Ele quebra todo o mal.

*

Ele é o homem que corta mironga
Ele é Ogum vencedor de demanda
Na sua gira ele tem 7 falanges
Ele é meu Pai
Ele é general da Umbanda.

*

Se meu Pai é Ogum
Vencedor de demandas
Ele vem de Aruanda
Pra salvar os filhos da Umbanda.

*

Ogum meu Pai está de ronda
Ogum é guerreiro da Umbanda
Salve Ogum general da Umbanda
Salve Ogum vencedor de demanda.

*

Ele guerreou, ele guerreou
Ele é general de Oxalá
Ele é o rei dos feiticeiros
Ele guerreou, ele guerreou!

*

No centro do encruzo
Chegou um general
De espada na mão,
General vinha montado,
Era Ogum general
Em cima da encruzilhada
Suas ordens vinha dar.

*

Ogum olha sua bandeira,
É branca, verde e encarnada
Ogum nos campos de batalha
Venceu a guerra e ganhou o Gongá.

*

Ogum, sua capa cobre a terra
E as ondas do mar
Saravá, Ogum Megê, Ogum de Lei
Matinata e Naruê, Saravá! Ogum Iara
Seu Rompe Mato, Beira-Mar
E Ogum de Malê.

*

A sua espada brilhava
Brilhava e rebrilhava
Brilhava sem parar
Era um general
Vencedor de batalha
Sua espada brilhava
E rebrilhava sem parar.

*

Deu Maitá, deu Maitá
É o rei da Umbanda
Deu Maitá, Pai Ogum
Venceu demanda

*

Ele é general guerreiro
Ele é general da Umbanda
Foi Oxalá quem o coroou
Foi Oxalá quem lhe deu galão
É ordenança da Virgem Maria
E de Oxalá ele é guardião.

*

Ele é meu pai guerreiro
Que chega pra saravá
Saravá meu Pai Ogum
Saravá neste terreiro!

*

Ele vem lá da Calunga,
Ele vem fazer a sua ronda,
Ele é o general da Umbanda,
Pai Ogum, quem mandou foi Oxalá

*

Que cavaleiro é aquele
Que faz sua ronda
No Cruzeiro das Almas
Ele é meu Pai Ogum
Que vive na Calunga,
Sempre a rondar, é, é, é, é, é, á
É, é, é seu Cangira, Pisa no Gongá.

Ogum Megê

Ele vem de longe
Montado em seu cavalo
Com sua espada na cinta
Ele vem para guerrear
Ele guerreia por este mundo afora,
O seu nome é Ogum Megê neste Gongá.

*

Lá em cima daquela serra
Tem um cavaleiro
Em seu cavalo branco
Ele vem montado
Auê! Salve Ogum Irará, Ogum Megê.

*

Ogum Megê é general da Umbanda
Com sua espada. Seu Ogum foi guerrear
Com sua espada e com sua lança
Venceu demandas nos campos
(de Humaitá.

*

Ogum... Ogum... Ogum Megê,
Vem salvar seus filhos.
Vem aqui neste Gongá,
Vencer as demandas, com seus filhos
Saravá!

*

Olha a Umbanda lelê,
Olha a Quimbanda lalá,
É Ogum Megê meu Pai,
Com sua lança guerrear!

*

Mamãe que cavaleiro é aquele
Que pisa com arrogância nesta terra?
Oh! Ele é Ogum Megê, que veio
(da batalha
Com sua lança de guerra!

Ogum Beira-Mar

Ogum já guerreou na terra,
Ogum já guerreou no mar
Ele é Ogum Beira-Mar
Quem o batizou foi a Mãe Iemanjá!

*

Alvorada tocou, tocou, tocou.
Em seu cavalo branco,
Ele vinha beirando a areia
Sua espada rebrilhava,
Ele é Ogum Beira-Mar.

*

Beira-Mar, aié Beira-Mar
Beira-Mar, aié Beira-Mar

Seu Beira-Mar
Beira maré, na porta beira maré!

*

Quando Ogum pisou na luz
Fez tremer a terra
Nos campos de batalha
Seu Ogum venceu a guerra
É, é, é, é, á, á, á, á,
Vamos saravá nosso Pai
Ogum Beira-Mar.

*

Ogum sua capa formosa,
Ogum cobre as ondas do mar
Ogum general da Umbanda,
Saravá os seus filhos, saravá sua banda!

*

Beira-Mar é cavaleiro
É guerreiro sim senhor,
Ele é filho primeiro
Da rainha do mar,
A rainha do mar,
A minha Mãe Iemanjá!

*

Cavaleiro valente e forte
Galopava sem parar,
Com sua espada na mão
Lá vinha militar
Era Ogum Beira-Mar
Que vinha beirando o mar.

*

Ele guerreou lá no Humaitá
Ele guerreou na beira do mar
Com sua espada ele trabalhou
Ele é general, ele é o Beira-Mar.

*

Beira-Mar, Beira-Maré
É o nome deste guerreiro
Ele é ordenança da Rainha do Mar.
Sua coroa é de ouro
Iemanjá foi quem lhe deu.
Salve Ogum, Salve Ogum,
Beira-Mar, Beira-Maré!

*

Minha espada é de aço
Minha espada vai brilhar
Minha espada é de fogo
É Ogum, é o Beira-Mar
Brilha muito e com amor
Em sua bela caminhada
Beira-Mar em sua estrada
Tem a estrela bem amparada

*

Ogum é ordenança de Oxalá
Ele guerreou na lua
Ele guerreou no mar.
Oi saravá meu Pai Ogum
Oi saravá nosso Pai Oxalá.

*

Na porta da romaria
Eu vi um cavaleiro de ronda
Ele é São Jorge guerreiro
Pai Ogum o nosso defensor.

*

Ogum vem pra seus filhos abençoar
Com a sua espada
Com a sua lança
Venceu demanda
No campo do Humaitá

*

Ogum quilê lelê
Ogum quilá lá lá
Ogum quilê lê lê
É das ondas do mar, do mar.

*

Foi lá no Humaitá
Onde Ogum guerreou,

Foi lá em alto mar
Que Mãe Iemanjá o abençoou.

Ogum Sete Espadas

Eu tenho sete espadas pra me defender
Eu tenho Ogum em minha companhia
Ogum é meu pai, Ogum é meu guia
Venha com Deus e com a Virgem Maria

Ogum Matinata

Saravá Ogum Matinata, ó Parangá,
Samba é no coitê,
Gongonho aqui, no samba saiu gagonhe
Saravá Ogum Matinata, ó Parangá
Samba é no coitê.

*

Quem vem lá,
Quem vem lá tão longe
Ele é Ogum Matinata que vem
No reino saravá.

*

Que cavaleiro é aquele
Que vem cavalgando
Pelo céu azul?
Ele é Ogum Matinata
Que vem defender o Cruzeiro do Sul.

*

Se Matinata faz sua ronda
No amanhecer do dia
E no romper da madrugada
E no clarão do dia, sua espada reluzia

*

É o Tatá Ogum Matinata
Que corre Gira de madrugada
Ele é meu Pai Cangira
Ele corre Gira no raiar do dia

*

Ogum Megê é Matinata
Vem do Reino de Saravá
Com sua espada,
Quem lhe deu foi Oxalá,
Traz consigo no peito
A bênção de Mãe Iemanjá
Pra seus filhos no Gongá.

Ogum Sete Matinatas

Ê no raiar do dia
Que sua espada brilha e rebrilha
Ogum Megê Sete Matinatas
Traz a força de Deus e da Virgem Maria.

*

Quando nasce o dia
Minha espada brilha e rebrilha
Ogum Megê Sete Matinatas
Faz sua ronda de madrugada.

*

Dentro do cemitério
Tem um soldado lutador
É o Ogum Sete Matinatas
Que Pai Oxalá abençoou.

*

Ele amanheceu na beira do mar
Quando Iemanjá o coroou,
Ele é Ogum Sete Matinatas que
(amanheceu
Na beira do mar.

*

No alto da Romaria
Eu vi um soldado a lutar
Sua espada retilínea
Reluzia sem parar
Era Ogum Sete Matinatas
Que lutava sem se cansar.

*

Ele é general da Umbanda
Ele é Ogum Sete Matinatas,

Na Calunga está a rondar
É vai chegar nesta Quimbanda.

*

Ele é um cavaleiro
De espada na mão
Oxalá lhe deu poder
Para ele poder lutar
Iemanjá abençoou
Com as ondas do mar
Ele é um bom guerreiro
Que amanhece sempre a rondar.

*

Ele é Ogum Sete Matinatas
Porque ronda de madrugada
A sua espada brilha e rebrilha
Seu nome neste Gongá,
É Ogum Sete Matinatas.

Ogum Malê

Ogum é todo Malê, Malê é linha Nagô
Ogum é todo Malê, Malê é linha, ô!

Diz Ogum
Ogum de lei Malê
Olha seus filhos meu Pai
Ogum de lei Malê.

Ogum (Despedida)

Sua espada rebrilhou
Seu cavalo vai galopar
Oxalá mandou chamar
Pai Ogum já vai girar
Pai Ogum já vai girar.

*

Levai todos Ogum, Maleme meu Pai,
Levai todos Ogum, Maleme meu Pai.
E diz a eles, quando eles voltarem
Peçam licença a Ogum general.

*

Ogum vai girar
Ogum vai girar
Em seu cavalo branco
Seu Ogum pra Aruanda

*

Sela um cavalo
E caminha com Ogum
Na fé de Oxalá
E de Mamãe Oxum.

*

Ogum já me adorou
Ogum já me saravou
Filho de Pemba que tanto chora
É Ogum que já vai embora.

Ogum já vai pra Aruanda
A bênção meu Pai,
Proteção pra nossa Banda

*

Ogum vai embora
Pra Aruanda ele vai voltar
E na sua caminhada
Paz e força vai deixar.

É hora, é hora,
Ogum vai girar,
Ogum vai girar
Sela seu cavalo ó Cangira
É na Aruanda ele vai firmar.

Em seu cavalo branco
Ogum já vai girar
E lá na sua Aruanda
Todo mal ele vai levar.

Oi, diz Ogum, já me adorou
Oi, diz Ogum, já me saravou
Filho da Umbanda porque é que choras,
É meu Pai Ogum que já vai embora.
Ogum sela seu cavalo que já é hora,
Ogum meu Pai já vai embora!

*

Foi lá no Humaitá
Eu ouvi dois clarins tocar
Foi lá no Humaitá
Eu ouvi dois clarins tocar

Eles tocaram a parada do nosso general,
Tocaram a parada
Tá rá rá rá rá rá rá

DE IANSÃ

Numa bela noite eu caminhava
Sozinho pedindo proteção,
Deu um relâmpago no céu
O céu clareou
Me ajoelhei
E Iansã me abençoou.

*

Iansã rainha dos astros
Iansã é moça de imberá
Iansã é adelina
Iansã também se chama Oiá e Obá.

*

Iansã chegou no reino
Chegou com chuva e com vento
Ela é dona de Jacutá, veio saravá
Os seus filhos no Gongá,
Os seus filhos no Gongá.

*

Sinda, sinda, có ké.
Vai na Angola girar
Samba lelê, ó, quirombó
Minha Iansã do Jacutá.

*

Estava na beira da praia
Chorou, chorou!
Estava na beira da praia
Chorou, chorou!
Chorou na macumba Iansã
Chorou na macumba Iansã.

*

O ronco da pedreira
E a trovoada
Ecoou lá na mata.
Ecoou lá na serra,
Todo povo de Iansã,
Todo povo de Iansã,
Chegou cá na terra,
Chegou para a guerra.

*

Moça rica com sua espada.
Sua coroa é cravejada de brilhantes
Sua coroa é cravejada de brilhantes
Quimbanda, auê! Quimbanda auê!

*

Iansã é muito linda
Muito linda ela é,
Com o seu leque de pena
Veio trazer o seu Axé.

*

Iansã, ela é minha mãe
Ela é minha mãe

Ah! eu quero ver
Oi Saravá Ogum Megê
Oi Iansã eparrei eparrei.

*

Oi Iansã dos cabelos louros
Seu mar tem água
Na sua pedra tem ouro
É, é, é, é, é, é, á
Saravá Iansã a Rainha do Mar.

*

Eu vi Iansã e Xangô
Estavam sentados em cima da pedra
Estavam rezando por todos os filhos
Saravá Iansã e Xangô.

*

Ela é uma moça bonita
Ela é dona do seu Jacutá,
Eparrei, eparrei, eparrei
Ó Mãe de Aruanda
Segura a banda que eu quero ver.

*

Oi Iansã de cabelos louros
De espada na mão ela vem girar
Traz Ogum Megê como companheiro
E na Calunga ela vem firmar.

Corre vento, trovoada tá no espaço
Tempestade não é brincadeira
Saravá Iansã Guerreira.

Loura muito formosa ela é,
Domina o vento e o trovão
Iansã Guerreira não treme não.

*

Iansã vem
Ela vem beirando o mar
Ela vem com trovoada
Ela vem com muito vento
Ela vem lá de Aruanda
Com a espada na mão
Ela vem trazendo vento

*

Eram duas ventarolas
Duas ventarolas que voavam sobre o mar
Uma era Iansã eparrei, eparrei
E a outra era Iemanjá.

*

Ó Iansã Menina
Dos cabelos louros
Ela está sentada
Na sua mina de ouro!

*

Saravá Mãe Iansã
Saravá meu Pai Xangô
Mamãe vem saravá,
Que trovoada já roncou.

*

Ela é minha Mãe Guerreira
Com seu cabelo cor de ouro,
Com sua espada na mão,
Ela é Iansã Guerreira
Que chegou neste Gongá.

*

Ó Mamãe, ela vem de Aruanda
Ela vem com chuva e vem com vento
Ela vem saravá o Gongá,
Ela vem com chuva e com vento
Na terra ela vem firmar.

DE IEMANJÁ

Sou filho do mar,
Das ondas do mar
Da espuma do mar
Minha Mãe Iemanjá.

Ô Virgem Maria
Como és linda flor
Celeste harmonia,
Dulcíssimo amor.

Amada em nossos lares
Rainha dos mares,
Da terra e dos céus
Em risos encobres.

Maria os seus dons.
Tesouro dos pobres,
Riqueza dos bons.
Manda em nossos lares
Rainha dos mares
Da terra e dos céus.

*

A estrela brilhou
Lá no alto do mar
Quem vem nos salvar
É nossa mãe Iemanjá.
Seja bem-vinda
Nossa mãe de muito amor
Venha nos salvar
Pela cruz do Senhor.
Pela cruz do Senhor.

*

Iemanjá coroou é de arariou
Iemanjá coroou é de arariou
Odoci malembe é de arariou
Odoci malembe é de arariou
Odoci malembe é de arariou.

*

Salve a Mãe Sereia,
Que todo mal vai levar.
Salve conchinha de prata.
Salve estrela do mar,
Salve a Mãe Sereia,
Rainha Iemanjá.

*

Tarimá, ô Tarimá,
Tarimá, tá no fundo do mar
Ó gente cadê Sereia?
Sereia tá no fundo do mar.
Até maioria virou zi caçamba
Do fundo pro mar.

*

É vem, é vem, é vem
É vem beirando o mar,

É vem Mãe Sereia,
Chegou beirando o mar
Chegou, chegou, chegou,
Chegou a Mãe Sereia,
Pra nos auxiliar,
Baixou, baixou, baixou
Beirando o mar
Baixou a Mãe Sereia
Pra todo mal levar.

*

Iemanjá, Iemanjá, Iemanjá
Iemanjá, Iemanjá, Iemanjá.
Venha me ajudar
Iyá dociabá
Vem nas ondas do mar.

*

Salve conchinha de prata.
Salve quem aqui está!
Salve a Mãe Sereia,
Que veio nos ajudar!

Salve conchinha de prata.
Salve o povo do mar.
Salve a Mãe Sereia
Que todo mal vai levar.

Salve conchinha de prata
Salve estrela do mar.
Salve a Mãe Sereia
Rainha Iemanjá.

*

Mãe, Mãe, Mãe
Por que queres viver
No fundo do Mar?
Eu sou a Mãe Sereia
A Rainha de Oxalá.

*

Iemanjá é a Rainha do Mar,
Ela vai saravá no Gongá
Ela é a Rainha do Mar.
É mãe de todos os orixás
Iemanjá a Rainha do Mar,
Mãe Iemanjá é a sereia do mar.

Tem areia, tem areia
Tem areia no fundo do mar
Tem areia.

*

Mamãe Iemanjá é a dona do Mar
Mamãe Iemanjá ela veio ajudar
Ela é Mãe Sereia
E mora no fundo do mar

*

Saravá Iemanjá
Na Calunga Grande
Ela é Mãe Sereia
Ela vem girar
Ela é Mãe Sereia
Ela vem pra firmar Gongá.

*

Ela é Rainha do Mar
Ela vem nas ondas do mar
Ela é Mãe Sereia
E la vem lá do fundo do mar.

É a Rainha do Mar sagrado
Mamãe Iemanjá
Vem nas ondas do mar
Vem saravá Ogum Beira-Mar
Que vem na força
Da Rainha do Mar.

*

Salve, salve Iara
Tem pena de nós tem dó
A força do mar é grande
Seu poder ainda é maior.

Encruza, encruza na fé de Iemanjá
Encruza, encruza na força do mar encruza
Encruza, encruza, na fé de Iemanjá
(encruza.

*

Iemanjá chegou
Veio do fundo do Mar
Vem trazendo conchinhas
Ela veio abençoar
Veio saravá seus filhos
E abençoar o Gongá
E todo mal que encontrar
Pro Mar Sagrado vai levar.

*

Quem quer viver sobre a areia
Quem quer viver sobre o mar
Salve a Grande Sereia
Salve a Deusa do Mar
Ê, aruê, ê araruá,
Ê araruê, Iemanjá.

*

Ela estava sentada na beira da praia
E as ondas batiam em Mãe Iemanjá
Mas se tu és Mamãe Oxum
Mamãe Oxum da Cachoeira
Toma conta e dá conta do seu Jacutá.

*

Saravá Iemanjá
A Rainha do Mar
Saravá Iemanjá
Mãe de todos os orixás.

Ogum mora na lua, e Iemanjá no mar
Salve nosso Pai Xangô e Agodô,
Salve Nossa Mãe Iemanjá aê Babá.

*

Quantas flores nas ondas do mar
Vai chegar nossa Mãe Iemanjá
Sua cadeira é um banco de areia
Salve Iemanjá nossa Mãe Sereia.

*

Maria Lavadeira lava roupa de sinhá
Maria lava roupa no ribeirão de Iemanjá
É, é, é, é, é, é, é, á,
Maria lava roupa no ribeirão de Iemanjá.

*

A onda do mar rolou
A onda do mar rolou,
E Mamãe Iemanjá saravou,
Saravá Mamãe Iemanjá, saravá Sereia
(do Mar.

*

Iemanjá é a Rainha do Mar
Ela vai saravá no Gongá
É a Rainha do Mar
É a mãe de todos os orixás,
Iemanjá Sereia do Mar
Mamãe Iemanjá é a Rainha do Mar.

*

Ela é Mamãe Sereia
Iemanjá chegou à beira do mar
Veio pra batizar Ogum
E chamou-o de Ogum Beira Mar.

*

Nas tuas águas sagradas
Abençoai teus filhos, Mãe Sereia
Iluminai teus filhos, Rainha do Mar,
Ó minha divina Mãe Iemanjá.

*

Iemanjá, Iemanjá, Iemanjá,
Ó grande Deusa do Mar,
Socorre teus pobres filhos
E abençoa este Gongá.

CARIDADE (OXALÁ)

ESPERANÇA (OXALÁ)

FÉ (OXALÁ)

OXALÁ

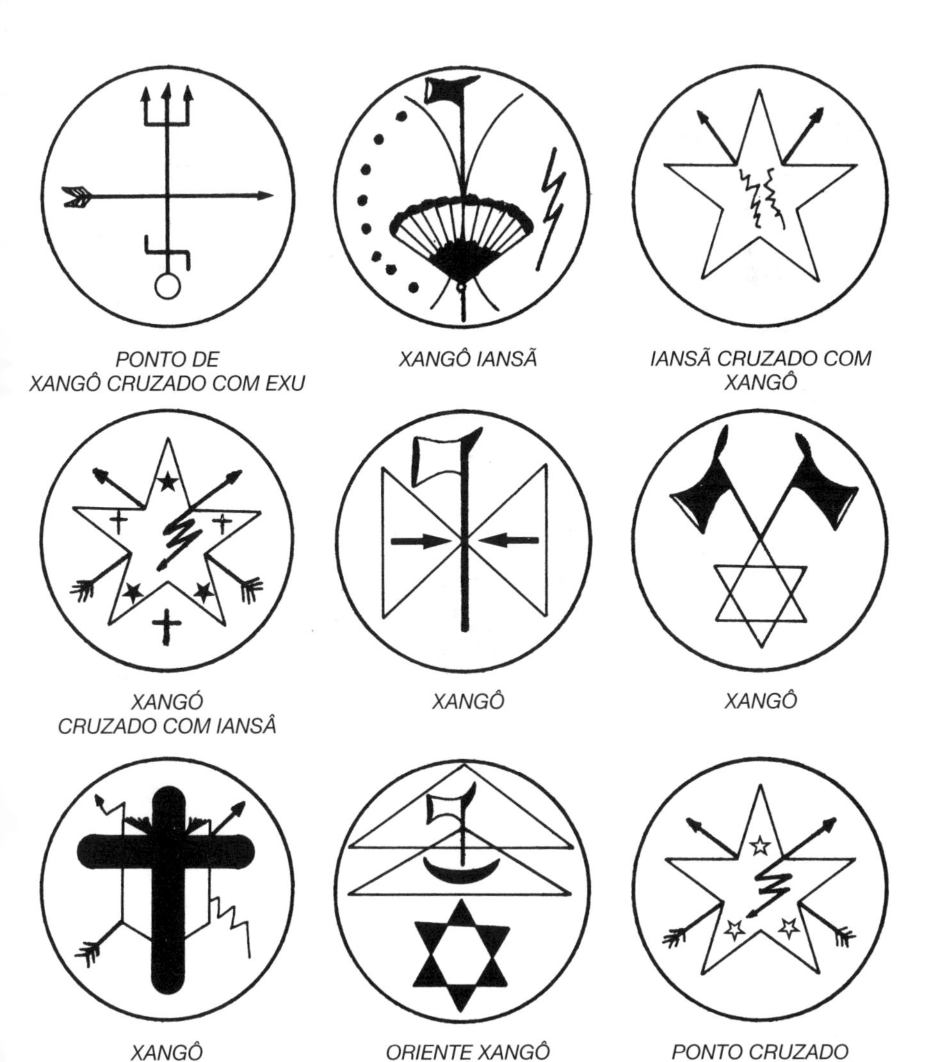

PONTO DE
XANGÔ CRUZADO COM EXU

XANGÔ IANSÃ

IANSÃ CRUZADO COM
XANGÔ

XANGÓ
CRUZADO COM IANSÂ

XANGÔ

XANGÔ

XANGÔ

ORIENTE XANGÔ

PONTO CRUZADO
DE IANSÃ E XANGÔ

PONTO DE OMOLU

OMOLU DAS 7 CALUNGAS

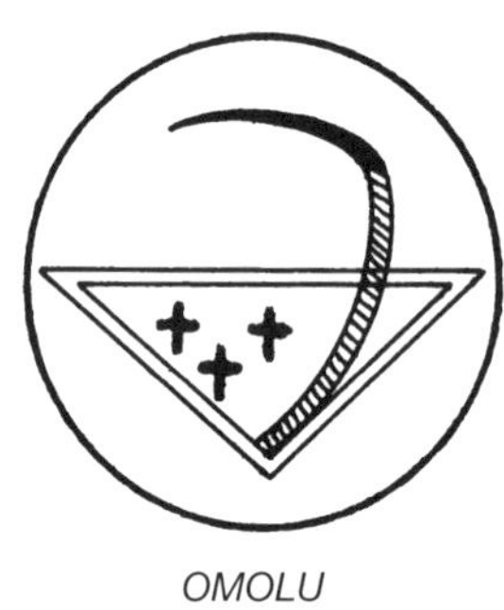

OMOLU

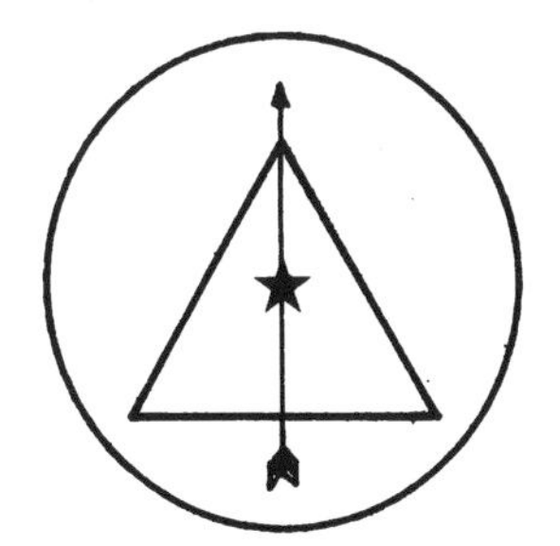

PONTO DE OXOSSE ROMPE-MATO

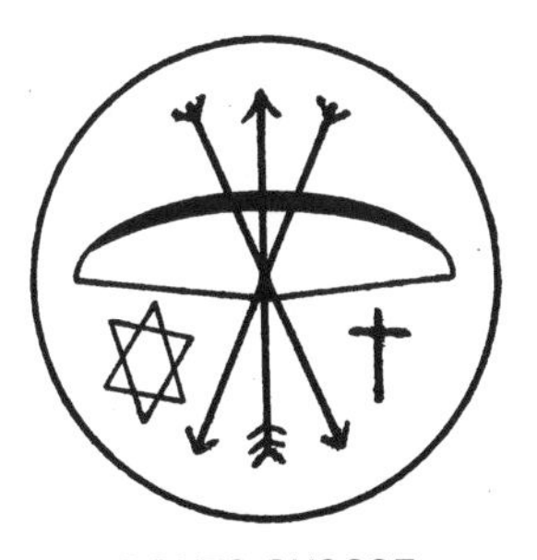

PONTO OXOSSE MATA VIRGEM

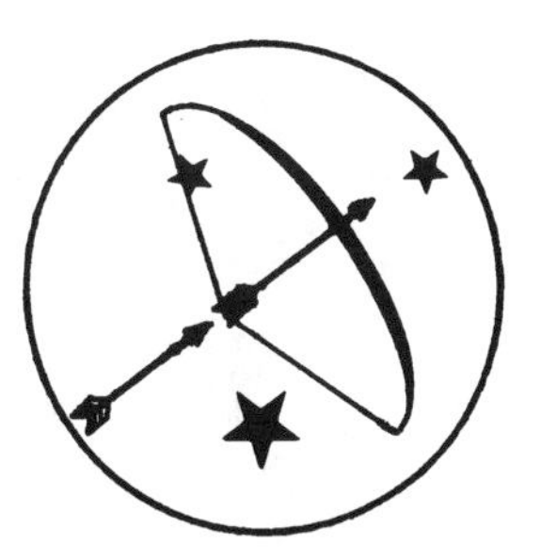

PONTO DE OXOSSE CAÇADOR

OXOSSE

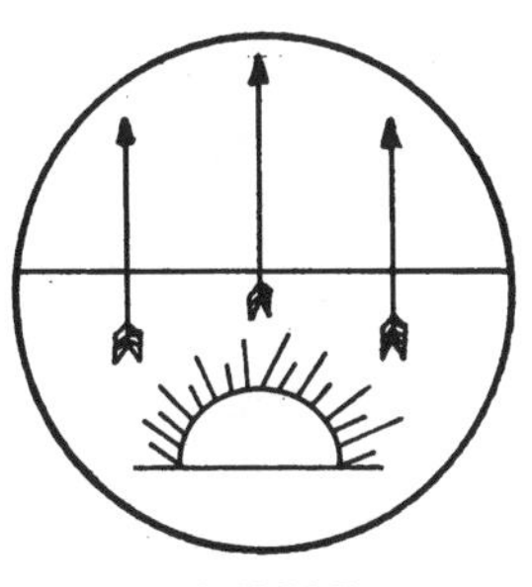

OXOSSE

PONTO DE OXOSSE DAS MATAS

IEMANJÁ CRUZADO COM OXUM

IEMANJÁ

OXUM-OGUM (NAGÔ)

EXU-POMBA GIRA

DE EXU

Arranca Toco

Ó meu senhor das armas
De mim não faça pouco
Eu sou Exu,
Exu Arranca Toco.

Carangola

Ó meu Senhor das armas
Eu sou filho de Angola
Eu sou Exu,
Exu de Carangola

João Caveira

Moro na porta do cemitério
Sou companheiro de Exu Porteira,
Trabalho lá no Cruzeiro,
Eu sou Exu João Caveira.

*

Eu venho lá da Calunga
Seu Omolu foi quem me mandou
Eu sou João Caveira
Aqui cheguei e já me vou.

*

Eu sou firmado lá na Calunga
Durmo em cima de catacumba
Minhas demandas eu vou juntando
E na Calunga eu vou firmando
E com um garfo vou espetando.

*

Minha coroa é de ferro
Omolu me coroou
E me mandou correr gira,
Juntar tudo que é demanda
E no Cruzeiro João amarrou.

*

Me chamam João Caveira
Omolu me batizou
Suas ordens vou cumprindo
Ogum Megê foi quem mandou.

*

Lá na Calunga
Com as ordens de Seu Omolu
João Caveira toma conta do Cruzeiro
Eu saravo o mundo inteiro
Omolu foi quem deixou
Saravá dentro do Cemitério.

*

Cuidado com este homem
Quando ele precisar
Ele se chama João Caveira
Ele gosta de demandar.

*

João, João Caveira
Tenho minha morada
Minha casa consagrada
Moro no bambuzal
No Cruzeiro de Omolu.

*

A porta do Cemitério estremeceu
Veio todo mundo pra ver quem era,
Ouviu-se gargalhada no encruzo,
Era seu Caveira com a mulher de Lucifer.

Ele chegou pra trabalhar,
Ele é ordenança do velho Omolu
João Caveira na Quimbanda
Chegou pra trabalhar.

Mangueira

Este boi vermelho, calunga
Amarra na mangueira, ó calunga
Para tirar o couro, calunga
E fazer pandeiro, calunga

Marabô

Estava curiando na encruza
Quando a banda me chamou
Exu na encruza é rei
Exu vence demanda
Exu é Marabô.

Maré

Fazendo sua magia
Ele vem nas ondas do mar
Pra mostrar quem ele é
Vem para vencer demandas
Ele é Exu Maré.

Poeira

Na estrada empoeirada
Decerto tem um morador
Caminhava firme e certo
No romper da madrugada
Salve o sol e salve a lua,
Vou morar na encruzilhada.

*

Caminhava pela estrada
Caminhava sem parar
Caminhava, caminhava
No encruzo fui parar
Encontrei Exu Poeira
Que na estrada ia firmar.

*

Meu Deus, que ventania
Meu Deus que temporal
Lalalá, lalalê
Exu Poeira é maioral.

*

Não pisa na caveira
Não pisa na caveira
Quimbanda vai começar
Não pisa na caveira
Não pisa na caveira
Exu Poeira vem trabalhar.

*

Ele ia caminhando pela rua
Rua toda empoeirada
Era seu Exu Poeira
Que ia para a encruzilhada.

*

Poeira, Poeira
Poeira na madrugada Poeira.
Poeira, Poeira
Poeira na encruzilhada
Poeira.

Rei das Sete Encruzilhadas

O meu senhor das armas
Diz que eu não valho nada

Olha lá que eu sou Exu,
Rei das Sete Encruzilhadas

*

Me chamam de rei
Das Sete Encruzilhadas
No sete encruzo sei trabalhar
Eu sou mandado de Ogum
Eu faço tudo que ele mandar.

Serapião

Meu senhor das armas
Não me diga que não
Eu sou preto feiticeiro
Eu me chamo Serapião.

Sete Cruzes

Exu Sete Cruzes chegou no Reino
Sete cruzes ele buscou
Ele veio do cemitério
Sete Cruzes já chegou.

*

Pomba Gira chegou no reino
Pomba Gira no reino chegou
Ela viu seus sete homens
Só não viu seu Sete Cruzes
Ela sacudiu os ombros
Ela se balanceou
Voltou para a encruzilhada
Sete Cruzes ela buscou.

*

Corre, corre encruzilhadas
Sete Cruzes já chegou
Na porta do cemitério ouvi gargalhadas
Sete Cruzes já chegou

Tata Caveira

Marimbondo pequenino
Bota fogo no paiol, ó Ganga
Exu pisa no galho,
No toco de um galho só.

*

Eu fico no portão
Do meu cemitério
Presto conta e peço conta
Na entrada do inferno.

*

Eu sou Exu Tata Caveira
Que chegou na Calunga
Omolu mandou eu girar,
Eu ando gira, eu corro gira
Demanda eu vim buscar.

*

Tata Caveira gira
Com o sol e com a lua
Gira pelo mundo inteiro
Omolu me coroou e
Oxalá me iluminou.

*

Da Calunga eu venho chegando
Com minha coroa de ferro,
Eu venho caminhando
Eu sou Exu Tata Caveira
Que pelo mundo venho girando.

*

Tata Caveira chegou no reino
Ele chegou pra demandar
Eu vim buscar o que não presta
E pra Calunga eu vou levar.

Tiriri

Me chamaram no encruzo,
Foi Tranca Ruas quem me chamou,
Sete Encruzilhadas e Marabô,
Nós quatro no encruzo somos reis
E lá no centro da encruzilhada
Seu Ogum é o rei maior.

*

Na Calunga eu não vou ficar
Eu vou pro encruzo, quero trabalhar.
Exu Tiriri, eu tenho meu reino
Eu sou dono da força encruzada

*

Na encruzilhada tenho meu garfo
Meu garfo é firme, com ele sei trabalhar
Eu sou Tiriri Lonã, minha coroa
Quem me deu foi Pai Oxalá.

Meu nome é Tiriri Lonã
No encruzo eu sou morador
É na Calunga que sei trabalhar
Com nosso amigo Omolu Atotô
Saravá eu e Omolu, saravá Ogum
Megê nosso patrão.

*

Exu sou Tiriri
Trabalhador na encruzilhada
Tomo conta e presto conta
Ao romper da madrugada

*

Ó meu Senhor das armas
Me diga quem vem aí
Eu sou Exu
Eu sou Tiriri.

*

Eu sou Tiriri da Umbanda
Moro na encruzilhada
É chegada a minha hora
No romper da madrugada

*

Eu sou trabalhador da encruzilhada
Meu nome é Tiriri
Eu giro com o sol e a lua
Na encruza eu sou doutor.

*

Na encruza eu sou morador,
Na Umbanda e na Quimbanda
Eu sei trabalhar
Eu sou Exu Tiriri
Eu venho na força de Pai Oxalá

Tranca Ruas

Mas ele é
O rei da banda
Eu vou mandar chamar
Eu vou mandar chamar
Eu vou mandar chamar seu Tranca Ruas
Pra correr minha Aruanda
E defender este Gongá

*

O sino da igrejinha
Faz delém, dém dém,
Seu Tranca Ruas que é
O dono da gira,
E corre gira que Ogum mandou!

*

Lua, eu também sou filho da lua
Lua, eu também sou filho da lua
Quem cometeu suas faltas
Pede perdão a Tranca Ruas.

Exu, Exu Tranca Ruas,
Me abre o Terreiro
E me fecha a rua!

*

Exu Tranca Ruas
Trabalhador na encruzilhada
Toma conta, presta conta
Ao romper da madrugada

*

Tranca Ruas
Chegou no Terreiro
Ele vem saravá
Veio saravá a banda
Ele chegou pra
Demandas quebrar.

*

Seu Tranca Ruas
É o dono da Gira
Na encruzilhada
Ele é rei maior.

*

Ele foi tenente
Ele foi capitão
Ele foi major.
Hoje ele é general
Seu Tranca Ruas tem galardão
Foi Pai Oxalá quem lhe coroou.

*

Eu sou Tranca Ruas
Setenta mil diabos trago comigo
Eu quero ver quem comigo pode
Na minha gira eu sou um batalhador.

*

Marimbondo pequenino
Faz a casa no sapé
Ó Ganga é, é, é...
Não segura no galho
Senão ele quebra
Ó Ganga é, é, é, á
Ó Ganga.

*

Já deu meia-noite
Meus irmãos, doze horas já bateu.
Levanta quem está sentado
Meus irmãos, pra salvar os filhos teus.

*

Ogum Exu pede licença
Pra seu povo arriar
Ele é o rei dos feiticeiros
Vem trazendo forças
Pro nosso Terreiro.

*

Seu terno branco
Sua bengala
Na encruza quá, quá, quá,
Exu dá risada.

*

Meu Santo Antônio pequenino
Amansador de touro bravo
Quem mexer com Tranca Ruas
Está mexendo com o diabo.
Ponteia, rodeia, ponteia,
Meu Santo Antônio, rodeia.

*

Se Tranca Ruas
Se cobre com sua capa
Quem tem sua capa escapa
Sua capa é cruz de caridade
Cobre tudo, só não cobre falsidade.

*

Eu trabalho na Calunga Pequena
E giro na Calunga Grande
Seu Ogum me coroou
Iemanjá me batizou
Eu sou filho da lua
Mas também sou filho do sol.

*

Sou trabalhador da encruzilhada
No meu encruzo, eu sou rei maior
E com as ordens de Pai Ogum
Na encruza eu sou morador.

*

Lá no Cruzeiro das Almas
Ogum Megê me coroou,
Exu Tranca Ruas é rei na Calunga
E vem com a bênção de Pai Oxalá.

*

Somos três manos nas encruzilhadas.
Somos três reis donos do encruzo.
Somos três reis vencedor de demandas,
Tranca Rua, Tiriri e Sete Encruzilhadas.

Tranca Ruas das Almas

Eu vou girar, eu vou girar,
E na minha caminhada
Eu vou passar pelo encruzo
E na minha caminhada
Na Calunga eu vou ficar.

Veludo

Exu pode com fogo
Ele pode com tudo
Saravá Exu Veludo
Quem demanda comigo
Não chove miúdo
Saravá Exu Veludo.

Despedida

Eles vão pela mão, pela mão
Eles vêm pelo pé, pelo pé
O galo já cantou
Exu já vai embora

*

Bateu meia-noite na capela
O galo cantou na encruzilhada
Arruma sua capa e seu garfo, meu Exu
O meu Pai Ogum lhe chamou na
(madrugada.

*

Balança lhe pesa
É a hora, é a hora
Dom Miguel lhe chama
O Exu já vai embora.

*

Candongueiro quando chama
É sinal que está na hora
Candongueiro quando chama
É Exu que vai embora, Maria,
Maria amarra a saia que Exu vai embora
Maria amarra a saia que Exu está na hora.

*

Cambono, camboninho, meu cambono
Olha que Exu vai ao ló
Vai, vai, vai, meu cambono
Ele vai numa gira só

*

É hora, é hora, é hora
No calendá é hora
É hora no calendá, é hora
É hora meus bons exus,
É hora, é hora

*

As encruzas estão lhe chamando
Firma a gira deste jacutá
Seu Tranca já vai embora
Firma a gira deste jacutá.

*

Exu já curimbou, Exu já curiou
Exu vai embora que Ogum mandou
Exu já curimbou, Exu já curiou
Exu vai embora que a encruza chamou.

*

Exu vai pelo pé,
Pelo pé
Exu vai pela mão,
Pela mão

Exu já vai embora
Ele vai pelo pé
Ele vai pela mão.

*

Ele vai girar
Ele vai girar,
E na sua caminhada
Vai passar pela encruza,
É na sua caminhada
Que Exu vai ficar.

DE POMBA GIRA

Chamada

Pomba Gira já é hora
É hora de trabalhar
Vem Pomba Gira
Vem chegar
Espete seu garfo no chão
E demandas vem buscar.

Pomba Gira, girá
Pomba Gira, giré
Pomba Gira, girá
Pomba Gira, giré.

*

Pomba Gira é meu destino
Meu destino é me divertir,
Bebo, fumo e danço
Para subsistir,
Assim cumpro o meu destino
Que é só me divertir.

*

Com meu vestido vermelho
Eu venho pra girar
Com meu colar, brinco e pulseira
Venho pra trabalhar
Eu sou a Pomba Gira
Vamos todos saravá.

*

O galo canta
Cacarecou
Oh! Pomba Gira,
Oh! Guingangá.

*

Iansã que lhe deu força
É a Rainha do Candomblé
Vamos saravá a rainha
Pomba Gira Exu mulher.

Maria Padilha dos 7 Cruzeiros da Calunga

Quem não gosta de Maria Padilha
Tem, tem que se arrebentar
Ela é bonita,
Ela é formosa,
Ó Bela vem trabalhar.

*

De garfo na mão
Lá vem mulher bonita
Bonita e muito formosa
Muito formosa e cheia de rosas
Lá vem Maria Padilha
Dos Sete Cruzeiros da Calunga.

*

Ela vai chegar
Ela vem do Cruzeiro das Almas
Ela é Maria Padilha dos
Sete Cruzeiros da Calunga.

*

Na minha encruzilhada
Muito consagrada
Tenho muitas rosas
Tão apreciadas
Com seu perfume
Quero alegrar
Os filhos de fé
E quem me chamar.

*

Sou Maria Padilha
Dos Sete Cruzeiros da Calunga
Saravo vocês que me veem
E vocês que me chamaram e não creem.

*

Saravá Maria Padilha
Dos Sete Cruzeiros da Calunga
Saravá morena linda
Que chegou pra trabalhar
Saravá seus Sete Cruzeiros
Ela vem trabalhar
Saravá Maria Padilha
Dos Sete Cruzeiros da Calunga.

*

Maria Padilha está na gira
Rainha dos Sete Cruzeiros
Aqui na banda ela chegou
Ela veio pra saravá,
Aqui na banda ela chegou
Ela veio trabalhar
Ela é Maria Padilha
Dos Sete Cruzeiros da Calunga.

*

Padilha minha Pomba Gira
Padilha minha grande amiga
Onde você está estou a gritar
Se está sempre me enganando
É para me ajudar.

*

Ela é Maria Padilha
Ela agora vai girar
E nas Sete Calungas
Todo mal ela vai levar.
E quem tiver inimigo
Logo que ela girar
É lá que ela vai ficar.

Ela mora no Cruzeiro das Almas
Ela guerreia sem querer parar
Tem a força dos pretos velhos
E no cruzeiro ela quer ficar
Na morada de Omolu
Obaluaiê meu Pai Atotô.

Maria Quitéria

Quando eu chego no Gongá
Eu quero é me defender
Maria Quitéria é rainha
No terreiro pra proteger.

Pomba Gira das Almas

Taiá, talaiá de Pomba Gira
Pomba girê para que eu não caia
Taiá, talaiá de Pomba Gira
Pomba girê para que eu não caia.

Pomba Gira da Calunga

Dentro da Calunga eu vi
Pomba Gira da Calunga
Salve Pomba Gira a Rainha
Que chegou pra saravá.

*

Ela vem toda enfeitada
De vestido novo ela vem

Ela vem aqui na banda
Na Umbanda e na Quimbanda vem.

Pomba Gira da Praia

Na beira do mar eu giro
Na Calunga Grande trabalho
Minha Quimbanda é verdadeira
Eu tenho Mamãe Sereia
Sereia tubarão do mar.

*

Eu sou Menina da Praia
Eu venho das ondas do mar
O meu garfo é bem firme
Quando começo a espetar
E toda minha demanda
Espeto no fundo do mar
Onde fica deitada
Sereia tubarão do mar.

Pomba Gira Rainha da Encruzilhada

Ela é mulher de Sete Exus
Ela é Pomba Gira Rainha
Ela é Rainha da Encruzilhada
Ela é Mulher de Sete Exus.

*

Eu moro lá na encruzilhada
No meu encruzo eu sou uma Rainha
É lá que faço minha mironga
É lá que faço e quebro demanda.

*

Me chamo Pomba Gira
Rainha eu sou
É na minha encruzilhada
Onde tenho minha morada
Eu sei trabalhar, eu sei trabalhar.

Ê, é, é na Umbanda
Vem, vem, vem da Quimbanda
É Pomba Gira que vai girar, vai girar.

É na banda do mar
É, é, é na Umbanda
Vem, vem da Quimbanda
Pomba Gira vem trabalhar
E levar o mal para as ondas do mar.

Pomba Gira chegou
Pomba Gira girou
É a mulher dos Sete Exus
Sá Pomba Gira chegou

*

Eu sou a Pomba Gira
E estou sempre presente
Sem mim não existe festa
Quem confirma é minha gente
Estou sempre nas festanças
Brincando com alguém
Estou sempre nas festanças
Eu saravo minha rainha
E o meu rei também.

*

Tataretá, Tataretá
Pomba Gira vai chegar
Pomba Gira chegou
Pomba Gira girou
É a mulher de Sete Exus
Sá Pomba Gira chegou.

Rainha das Sete Encruzilhadas

Eu sou Rainha nos Sete Encruzos
Em cada um tenho morada
Eu quero filho pra defender
E inimigo pra espetar
Eu sou Rainha das Sete Encruzilhadas
É lá que eu faço minha morada.

*

Ó Gira formosa
Tem alegria e rosa
Na gira da Pomba Gira
Você vem balançar
No balanço da Pomba Gira
Sua chama vai rolar.

*

Meu caminho é de fogo
No meio da encruzilhada
Quem quiser me demandar
Eu lhe cuspo e vou pisar
Quanto inimigo na terra
Querendo desafiar
Sou Pomba Gira formosa
Formosa pra lhe quebrar.

*

Eu quero ver quem vai demandar
Eu quero ver, eu quero ver.
Nas minhas Sete Encruzilhadas
Eu quero ver, eu quero ver.

PONTO DO MAIORAL

EXU CALUNGA

TRANCA RUAS

MAIORAL

EXU TIRIRI

OMOLU

EXU DO CHEIRO

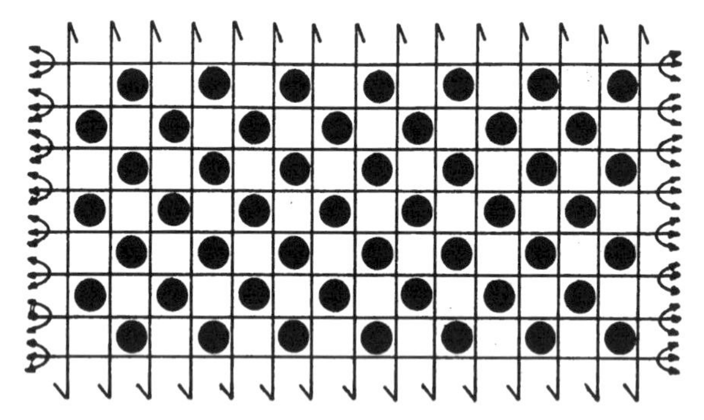

Ponto místico da chamada do
EXU MARABÔ

SIGNO CABALÍSTICO
DE FRIMOST
(Exu Quebra-Galhos)

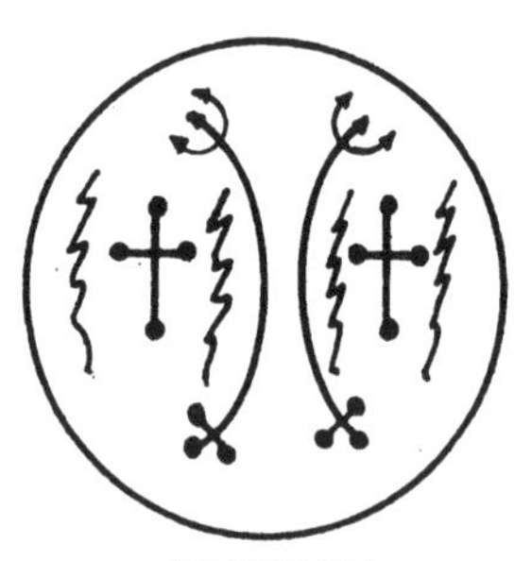

PONTO DE
EXU TRANCA-VENTOS

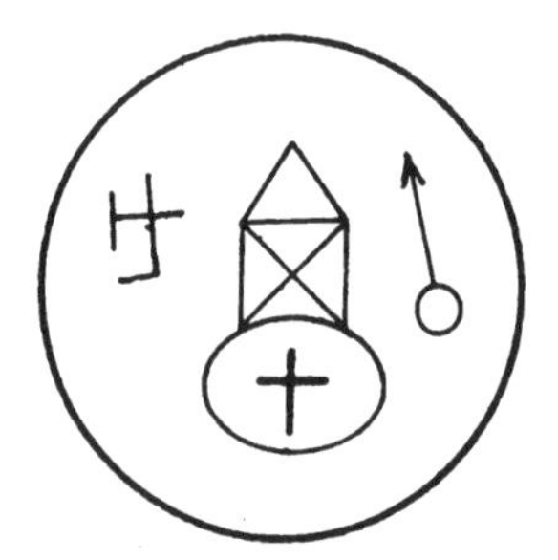

SIGNO CABALÍSTICO DE
EXU DOS CEMITÉRIOS

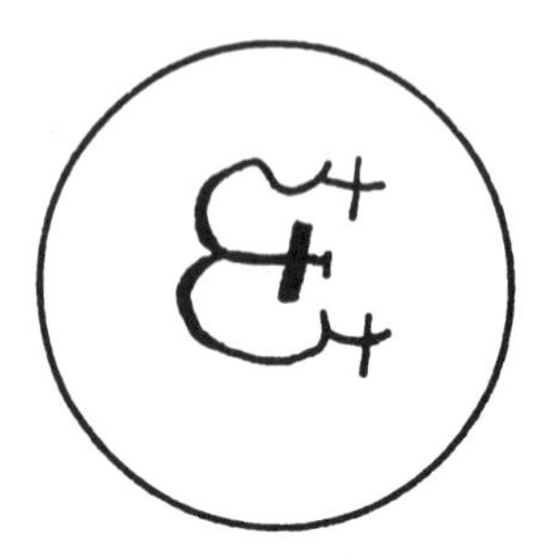

SIGNO CABALÍSTICO
DE CLISTHEREST
(Exu Tronqueira)

EXU DOS RIOS

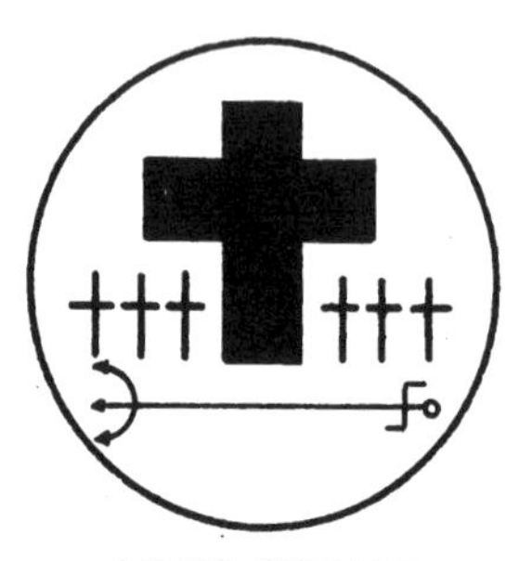

PONTO RISCADO
DE EXU-REI DAS 7
ENCRUZILHADAS

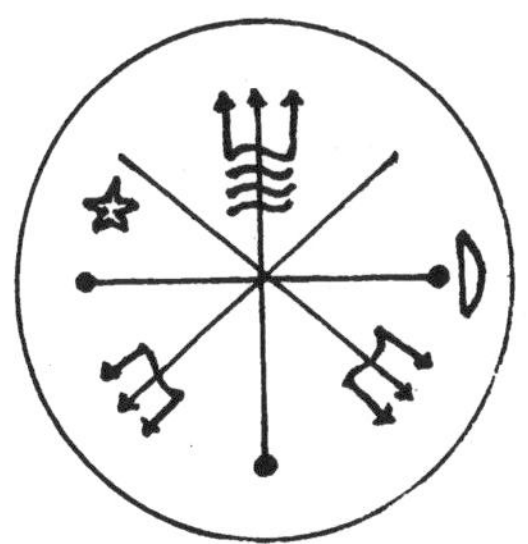

PONTO RISCADO DE TRANCA RUAS (na irradiação do Oriente)

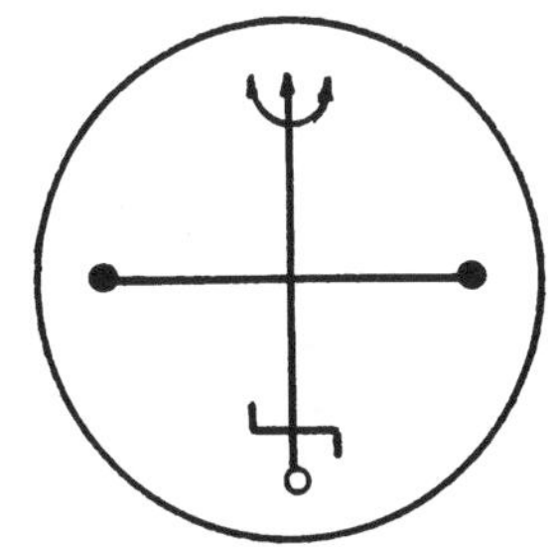

PONTO DE EXU TRANCA-RUAS

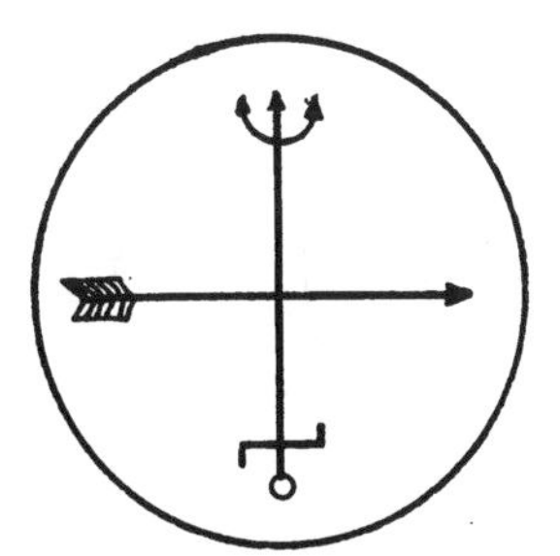

PONTO DE EXU (Na irradiação de Xangô)

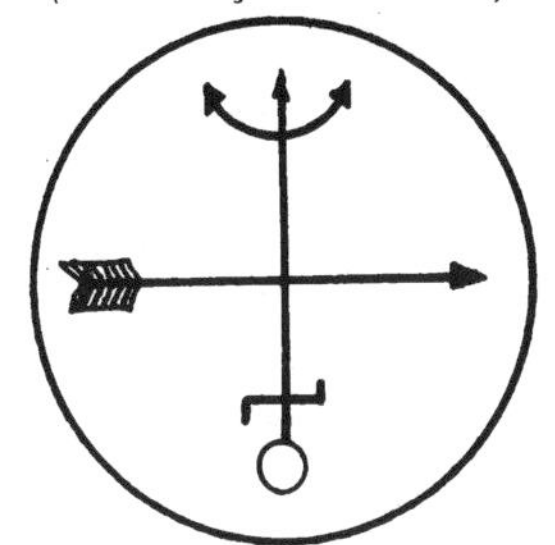

PONTO DE EXU NA IRRADIAÇÃO DE XANGÔ

EXÔ DE EXU (salva da entidade)

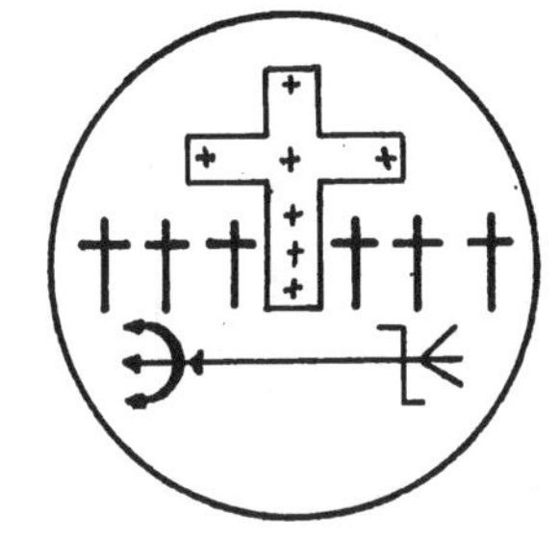

PONTO DE EXU REI DAS 7 ENCRUZILHADAS

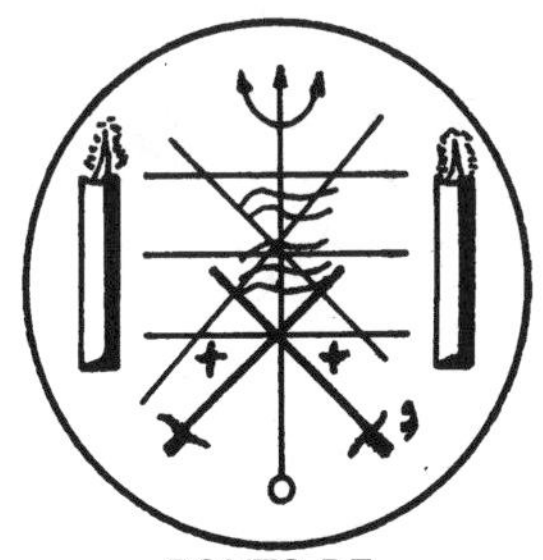

PONTO DE EXU TRANCA-RUAS (Na irradiação Tranca-Gira)

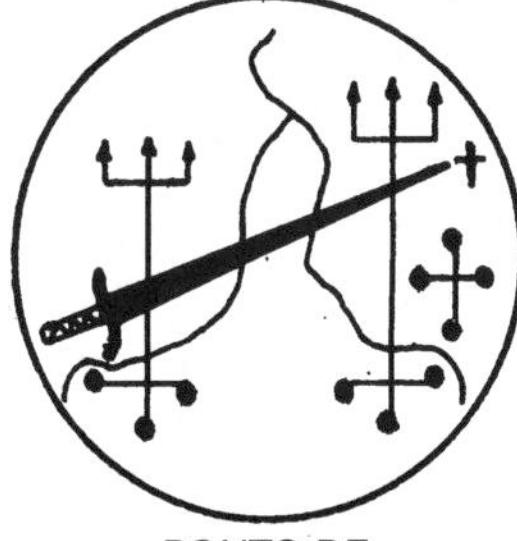

PONTO DE EXU VELUDO PRETO

EXU DOS RIOS

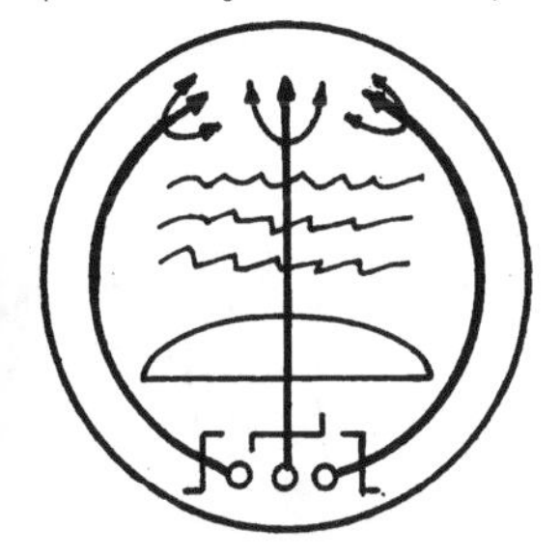

PONTO RISCADO DE EXU MARÉ (Pentagnony)

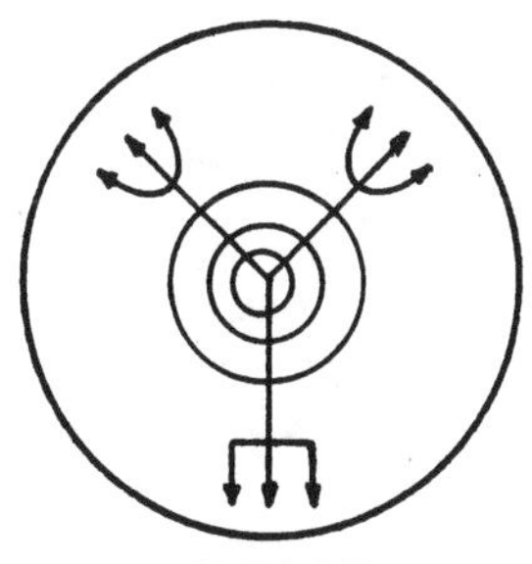

PONTO DE EXU TIRA-GIRA

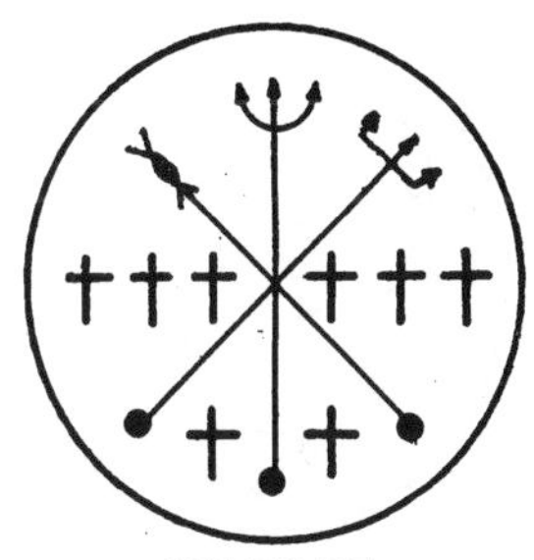

PONTO DE EXU TRANCA-CRUZES

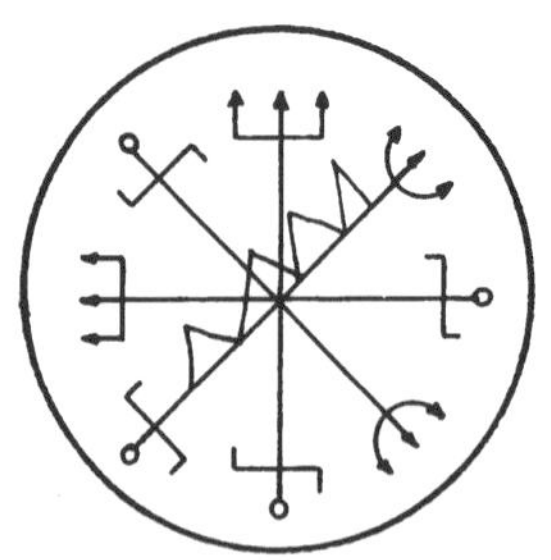

PONTO DE EXU DOS RIOS (Na irradiação de Iansã)

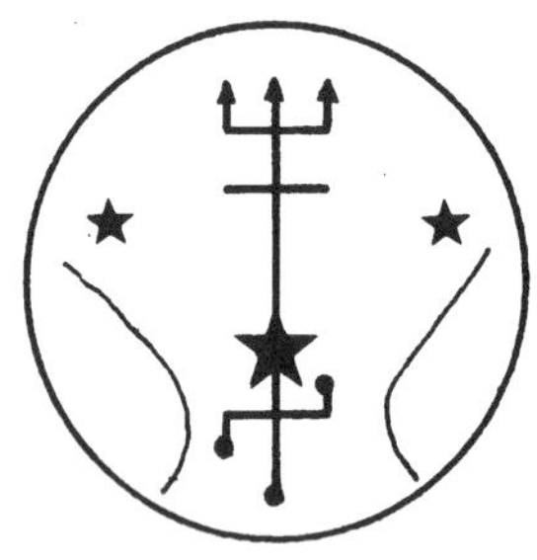

PONTO DE EXU TRANCA-ENCRUZAS

SIGNO CABALÍSTICO DE HUMOTS (Exu das 7 Pedras)

PONTO DE TRANCA-RUAS DAS ALMAS

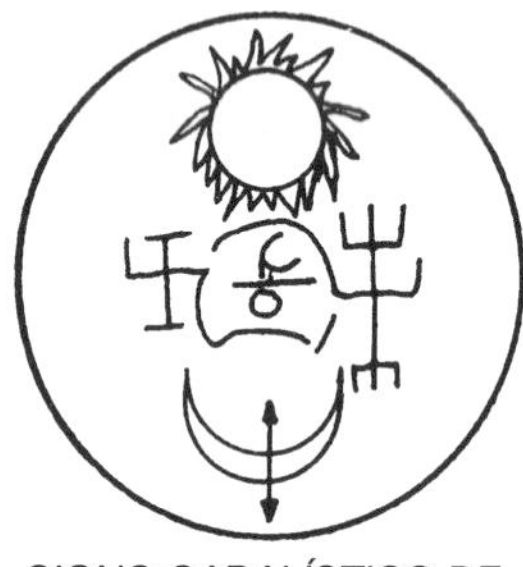

SIGNO CABALÍSTICO DE EXU MARABÁ

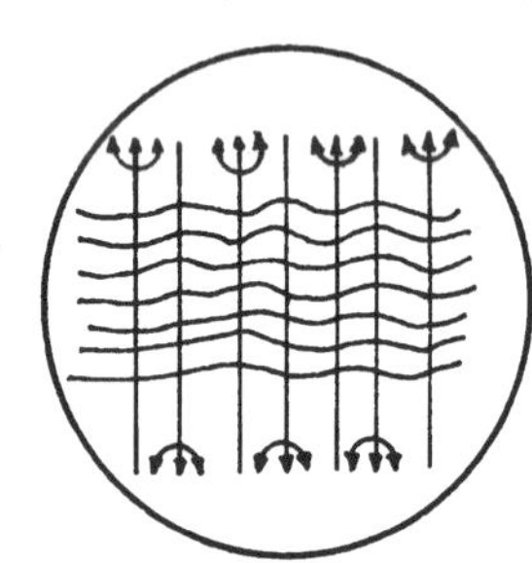

PONTO RISCADO DE EXU 7 MONTANHAS (Eleogap)

CARACTERES CABALÍSTICOS DE HICPACTH (Exu das Matas)

SIGNO CABALÍSTICO DE EXU DAS 7 CACHOEIRAS

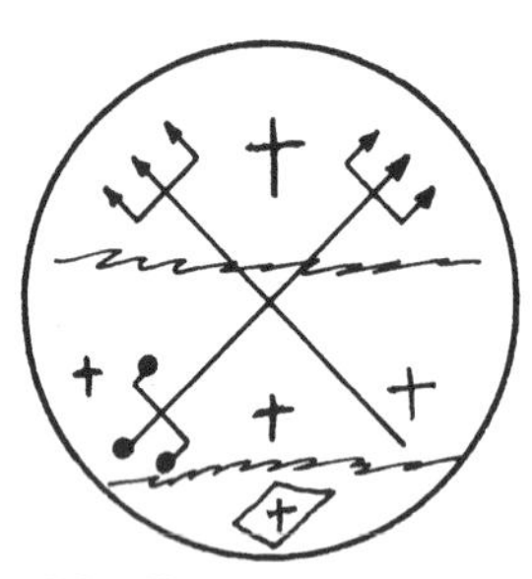

PONTO EXU VIRA-TUD0

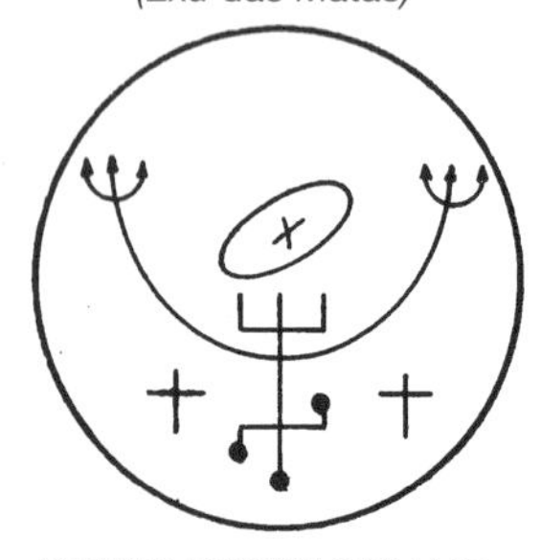

PONTO DE EXU CIGANO

SIGNO CABALÍSTICO DE DE MERIFILD (Exu das 7 Cruzes)

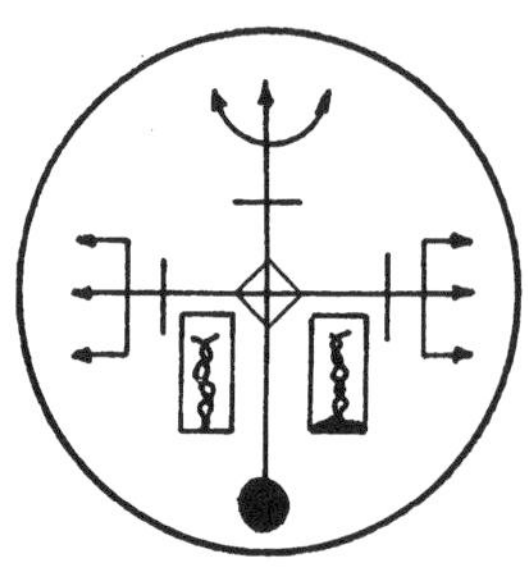

PONTO DE EXU PEMBA

SIGNO CABALÍSTICO DE EXU DA PEDRA NEGRA

SIGNO CABALÍSTICO DO EXU DAS 7 PORTAS (Surgat)

PONTO DE MARIA PADILHA DOS 7 CRUZEIROS DA CALUNGA

SIGNO CABALÍSTICO DE SEGAL (Exu Gira-Mundo)

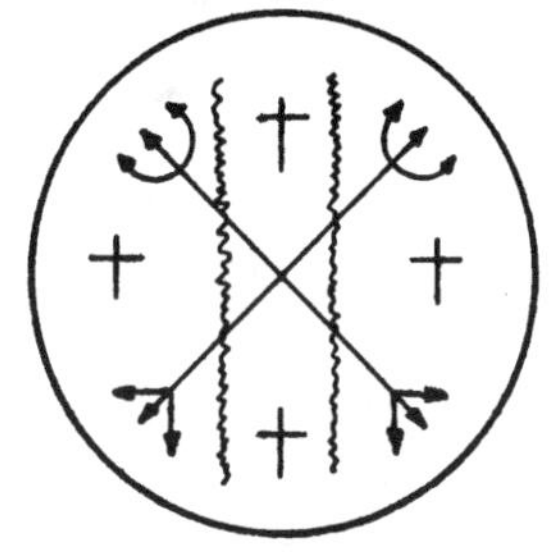

PONTO DE EXU GIRA-FOGO

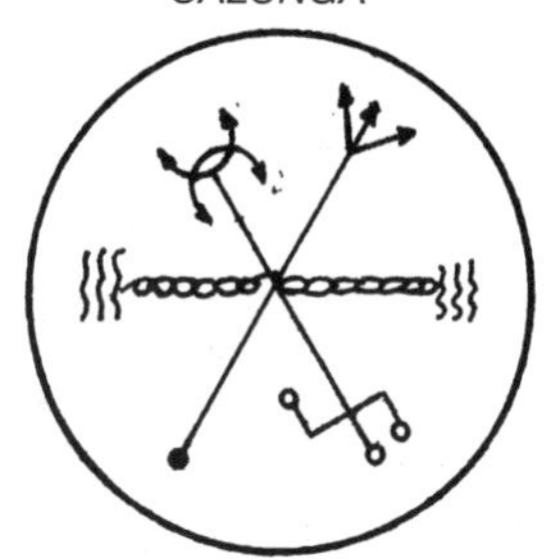

PONTO DE EXU SETE NÓS

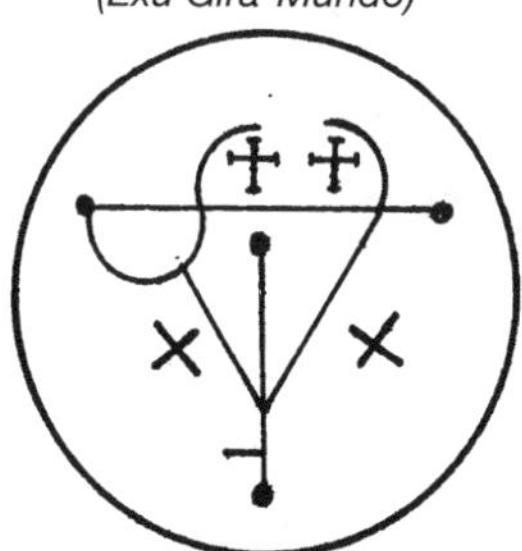

SIGNO CABALÍSTICO DE GULANO (Exu Morcego)

PONTO DE EXU VELUDO (Na irradiação de Ogum)

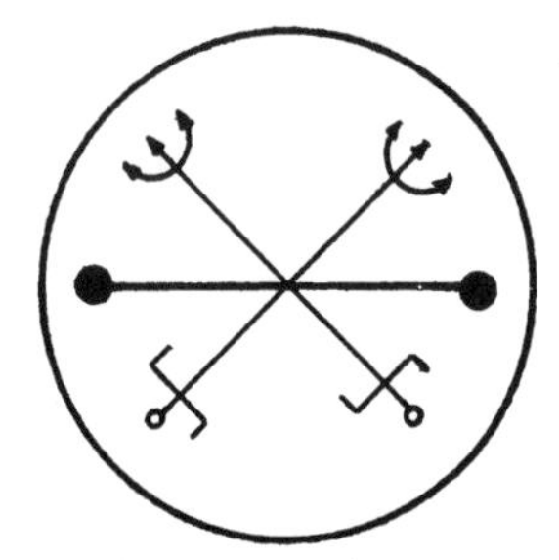

SIGNO CABALÍSTICO DE EXU TRANCA-TUDO

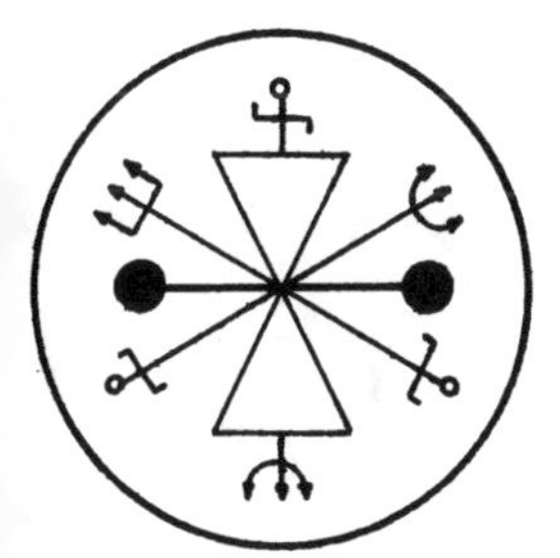

PONTO RISCADO DE EXU PIMENTA (Trimassol)

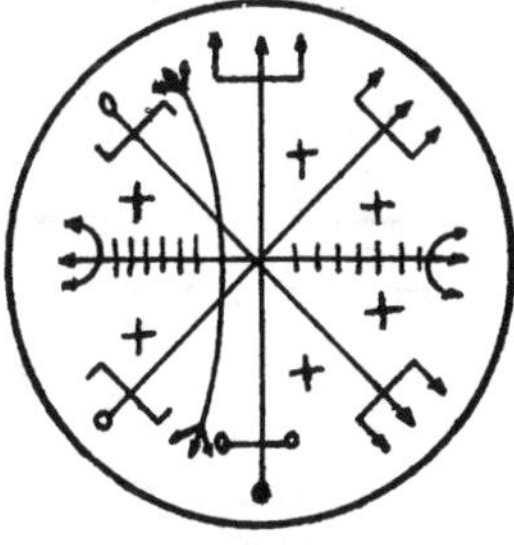

PONTO DE EXU GIRA-NEGRA

SIGNO ESOTÉRICO E CABALÍSTICO DE EXU DA CAPA PRETA

PONTO DE EXU NA IRRADIAÇÃO DE OGUM

PONTO DE EXU TRANCA-RUAS (Na irradiação da falange da Linha do Mar)

PONTO DE EXU CAVEIRA

PONTO RISCADO DE EXU TRANCA-TUDO

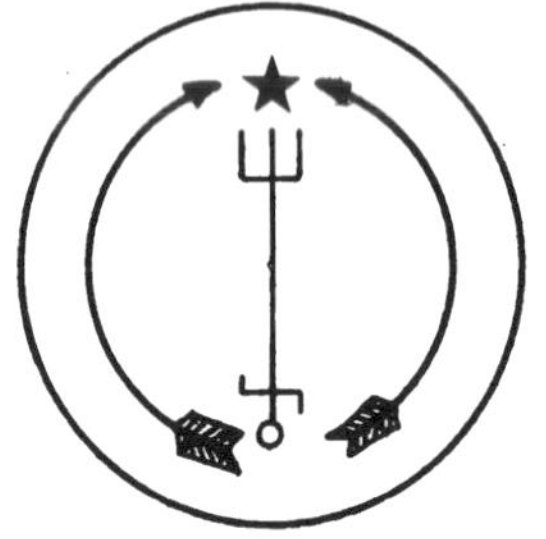

PONTO DE EXU NA IRRAD. DE CABINDA DE GUINÉ

PONTO RISCADO DE EXU DAS MATAS OU CALUNGA DAS MATAS

PONTO RISCADO DE EXU MIRIM (Serguth)

SIGNO CABALÍSTICO DE EXU DAS 7 SOMBRAS

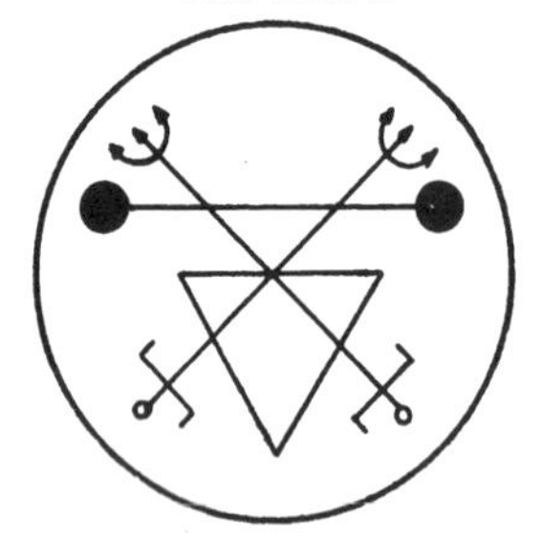

PONTO RISCADO DE EXU GANGA (Damoston)

PONTO DE EXU TRANCA-RUAS (Na irradiação de Ogum)

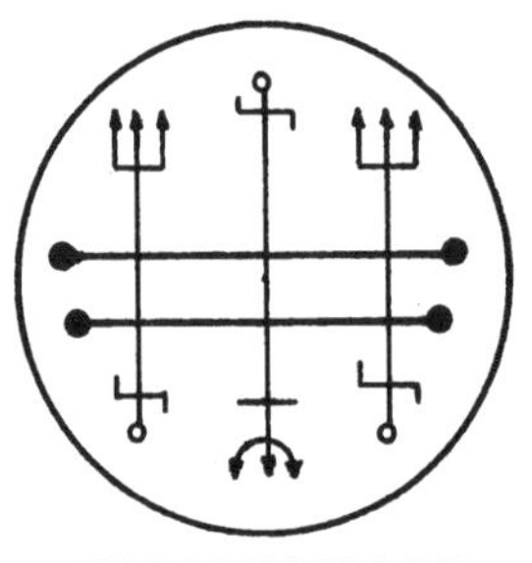

PONTO RISCADO DE EXU MALÊ (Sustugrie!)

PONTO DE SETE TRANCAS

PONTO DE
EXU VIRA-VENTO

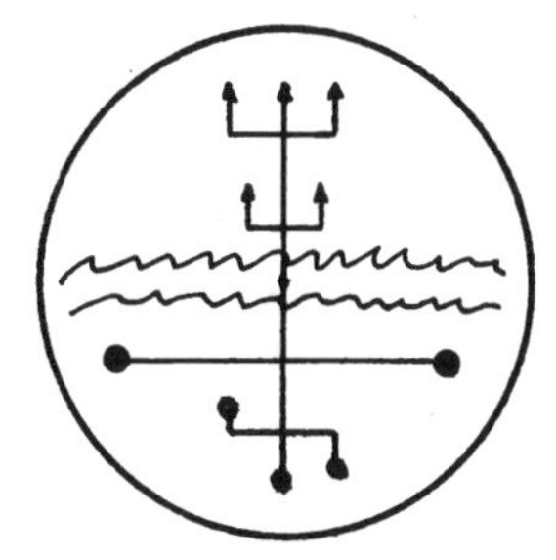

PONTO DE
EXU ZÉ DA PRAIA

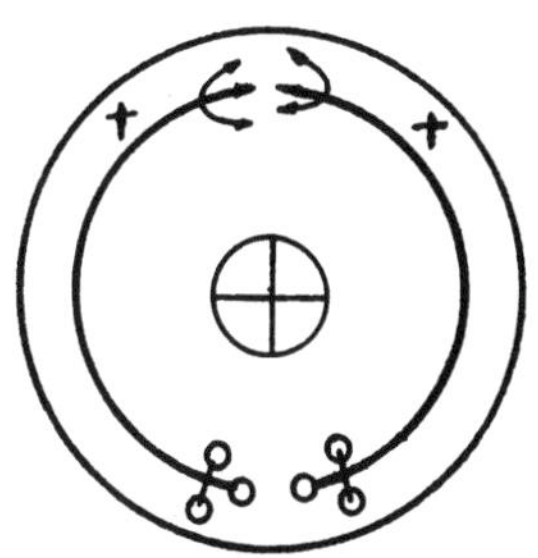

PONTO DE
EXU GIRA-MUNDO

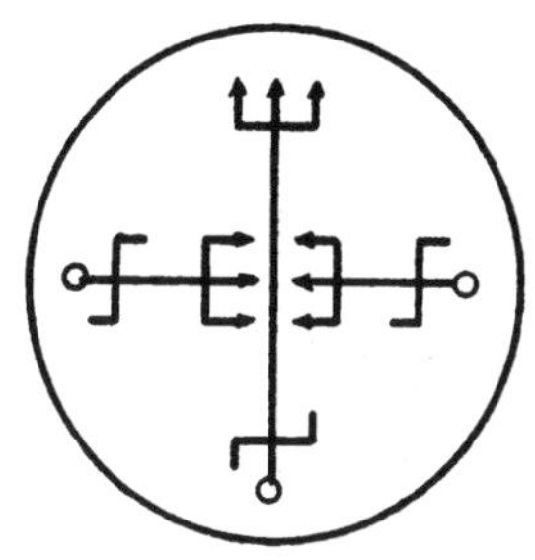

PONTO RISCADO DE
EXU PAGÃO

CARACTERES CABALÍSTICOS
DE EXU POMBA-GIRA

PONTO DE EXU TRANCA-
RUAS NA IRRADIAÇÃO DO
POVO DE GANGA

SIGNO CABALÍSTICO
DE BECHARD
(Exu dos Ventos)

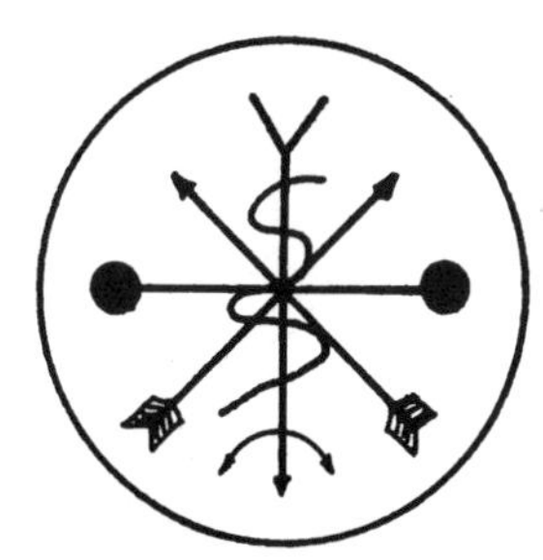

PONTO DE EXU VELUDO
(Na irradiação de Urubatã)

SIGNO CABALÍSTICO
DE SILCHARDE
(Exu das 7 Poeiras)

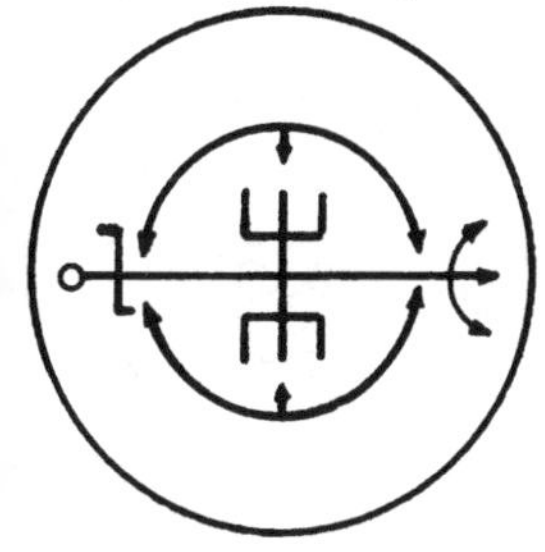

PONTO RISCADO
DE EXU BRASA

PONTO DE
ENCRUZA-TUDO

PONTO RISCADO DE
EXU MANGUEIRA

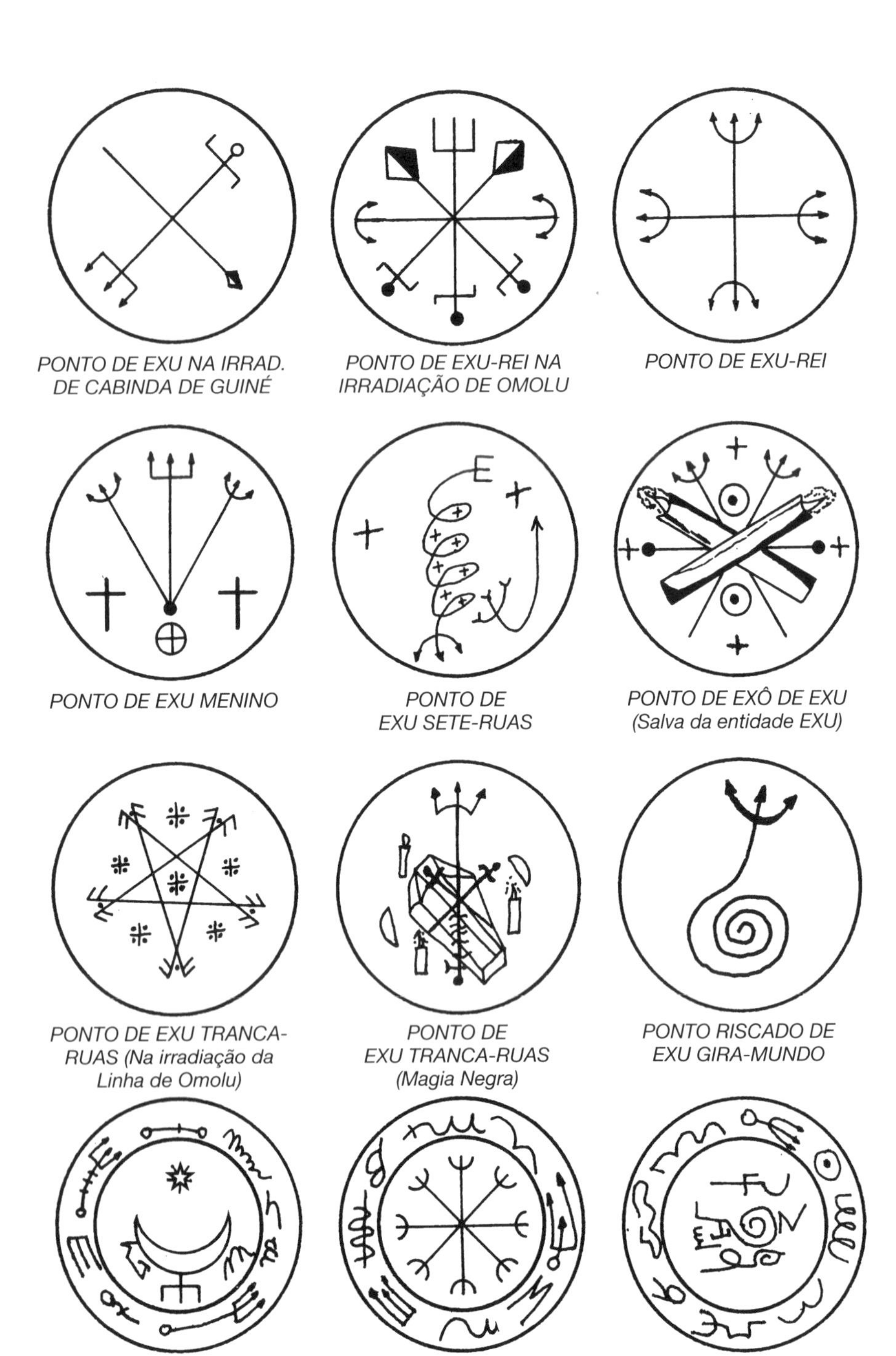

PONTO DE EXU NA IRRAD. DE CABINDA DE GUINÉ

PONTO DE EXU-REI NA IRRADIAÇÃO DE OMOLU

PONTO DE EXU-REI

PONTO DE EXU MENINO

PONTO DE EXU SETE-RUAS

PONTO DE EXÔ DE EXU (Salva da entidade EXU)

PONTO DE EXU TRANCA-RUAS (Na irradiação da Linha de Omolu)

PONTO DE EXU TRANCA-RUAS (Magia Negra)

PONTO RISCADO DE EXU GIRA-MUNDO

EXU CURADÔ

EXU DA MEIA-NOITE

EXU CAVEIRA

CABOCLOS-CABOCLAS

DE CABOCLOS

Caboclos (Chamada)

Abre-te mesa
Eu vou mandar arriar
Abre-te porta
Lá na Jurema

*

Atira, atira, eu atirei,
No bambá eu vou atirar.
Veado no mato é corredor
Caboclo na mata é caçador.

*

Estrela matutina
Clareia o mundo sem parar
Estrela que clareia a mata virgem
Bem na raiz do orixá
Estrela que clareia todos os caboclos
E e é é é é á

*

Seu Capitão, Seu Rei da Mata
Sucuri dendé, onde estão os caboclos.
Que não querem descer?
Eles descem sim senhor.

*

Quando os caboclos vêm da Jurema
Trazem um bodoque e uma pemba
(na mão
Ele é caboclo, ele é flecheiro atirador
Na Jurema todo caboclo é caçador.

*

Ele vem daquelas matas
Do reino de Jurerná
Caboclo vem de Aruanda
Vamos todos saravá.

*

Quero ver arder
Quero ver queimar
Feiticeiro que atira
Tem que saber atirar

*

Eu vou pedir ao Pai Oxalá
E a meio mundo eu vou rezar
Amei o Sol,
Amei a Lua
E ao povo de Aruanda
Oi que bom é o clima
Oi que bom que é.

*

Caboclo a sua mata é linda
É verde da cor do mar
Caboclo a sua mata é linda
É verde da cor do mar
Aié caçuté da Juremá
Aié caçuté da Juremá
Aié caçuté da Juremá, Juremá.

*

Vestimenta de Caboclo é samambaia,
É samambaia é samambaia,
Vestimenta de Cabloco é samambaia
É samambaia, é samambaia.

*

Quem tem sangue de Caboclo
Eu quero ver balancear
Quem tem sangue de Caboclo
Eu quero ver balancear
Balanceei, Caboclo balanceai.

*

Se ele é filho de Caboclo
Eu quero ver balancear
Balanceei Caboclo, balanceai
Balanceei Caboclo, balanceai

*

É Caçador, é Caçador
Caboclo é adivinhador
É Caçador, é Caçador
Caboclo é adivinhador.

*

Caçador, caçador
Por que matou minha sabiá?
Ela estava sentada
Junto da urucaia.

Caboclo está no muzambé
Caboclo está no muzambé
Na cidade de Jurema
Caboclo está no muzambé
Está no muzambé, está no muzambé.

Corre, corre na cachoeira
Sobre a pedra ela rolou
É o Caboclo das cachoeiras
Que sua flecha atirou

*

É banda, é banda
É banda, é banda é,
Seu saiote é de ouro é,
Seu bodoque é de ouro é.
Ele tem uma flecha,
Que é de ouro
E cheira a guiné,
É banda, é banda é,
É banda, é banda é banda é.

*

Fez barulho na cachoeira
Sobre a pedra ele rolou
Com sua flecha certeira
Foi o Caboclo que chegou.

*

Caboclo na mata trabalha
Com São Cipriano e Jacó,
Trabalha com chuva e com vento
Trabalha com lua e com sol.

*

Lá no lageado
Onde Caboclo mora
Vestimenta de caboclo
Samambaia é só
Samambaia é só, auê
Samambaia é só.

*

Ele veio da sua cidade
Com a Estrela d'Alva no peito
Quem foi quem deu
Quem dá, quem daria
Ele é o filho da Virgem Maria.

*

Que linda andorinha
Tem no meu sertão
Todo pássaro voa,
Andorinha,
Só a ema não

*

Caboclo que vem da mata
Da mata traz seu poder
Arreia, caboclo, arreia
Arreia que eu quero ver.

*

O meu pai é caboclo
Quero ver balançar
Arreia, arreia
Capangueiro da Jurema, ô Juremá

*

Na sua aldeia tem seus caboclos
Na sua mata tem cachoeiras
No seu saiote tem penas douradas
Seu capacete brilha na alvorada.

*

Oquê, oquê caboclo
Caboclo é caçador de rouxinol.
A estrela brilha lá no céu
É a lua nova
Que clareia na Jurema.

*

Ó que caboclo tão lindo
Que vem aqui saravá,
É um caboclo de pena
Vem a seus filhos abençoar.

*

Venha caboclo
Saia dessa mata
Saia do meio
Da samambaia.

Jararaca é sua cinta
Sucuri é a sua lança
Kizua, Kizua, Kizua é...
Caboclo mora nas matas

*

Que caboclo bom,
Joga a folha cá para nós
Joga a folha da Jurema
Joga a folha cá para nós

Água Branca

Água Branca que vem de Aruanda
Oi, vem sozinho
Pra trabalhar
Vem apitando três vezes
Sua falange vem ajudar.

Aimoré

O meu Gongá tá roncando
Lá na mata,
Tá roncando pra salvar
Filhos de fé.
Ronca, ronca, ronca,
Meu Gongá,
Pra chamar a minha tribo Aimoré.

*

A água com areia
Não pode demandar
Á água vai-se embora
A areia fica no lugar.
Ei, zum, zum, zum.
Chegou o Aimoré
Caboclo guerreiro
Vem salvar os filhos de fé.

*

Valente em sua tribo
É caçador audaz
Em nome de Tupã
Foi cacique e foi pajé
Da tribo dos guaranis

O seu nome é Aimoré
Aimoré, moré, moré.

Araranguá

Risca ponto no Terreiro
Pra Caboclo Araranguá
Risca ponto no Terreiro
Pro caboclo trabalhar.

Araúna

Eu sou o Caboclo Araúna
Na Aruanda vim trabalhar
Salve o povo da Umbanda
Que demanda eu vou ganhar.
Eu sou o Caboclo Araúna
Meu irmão é Ararê
Salve o povo da Umbanda
Que demanda vamos vencer.

Boiadeiro

Boiadeiro ele é
Vem de longe trabalhar
Boiadeiro ele é
Vem a seus filhos ajudar
Boi, boiadas vaquejando
Boi, boiadas trabalhando.

*

Atira o laço longe e galopa
Este laço de Boiadeiro ninguém pode (soltar,
Eu desço minha serra verdejante a brilhar.
Chego na minha banda para guerrear.

Ele é Boiadeiro lá do sertão
Um pé calçado e outro no chão
Boi, boi, Boiadeiro, boi, boi, Boiadeiro
Boi, boi, boi.

*

Saravá Seu Boiadeiro
Que tem força e é valente
Saravá Seu Boiadeiro
Que a sua força está firmada.

*

Onde está Seu Boiadeiro
Que ainda não chegou
Está a caminho do Terreiro
Que já lhe chamou.

*

Lá no alto do chapadão
É que mora um boiadeiro
Ele é Caboclo da Mata
É Boiadeiro Navizala
É boiadeiro bom
Que derruba boi com a mão.

Bugre do Sertão

Ô Bugre mau, ô Bugre mau
Ô bugre mau lá do sertão
Que quebra pedra no peito
E pega fogo com a mão.

Caçador

Estava chovendo e relampeando
Mas mesmo assim o céu estava azul
Com sua pemba e folhas de Jurema
Eu vi Seu Caçador no aracá.

*

Campeia meus caboclos
Campeia meus caboclos
Campeia meus caboclos
Na aldeia meus caboclos.

*

Caboclo roxo, da cor morena
É seu Oxosse, Caçador da Jurema
Ele jurou, ele jurará
Pelos conselhos que a Jurema veio dar.

*

Que bombardeio que se deu lá na aldeia
Que palhoça Oxosse quis abandonar
Ele é caboclo da tribo da Jurema
Veio no reino para saravar.

*

Olha, ele vai atirar
E veja onde vai cair
Mas ele é caçador da Jurema?
Mas ele é um rei
Caçador de demandas.

*

Ei, caçador da beira do caminho,
Oi, não mate esta coral na estrada,
Pois ela abandonou sua choupana,
(caçador,
Foi no romper da madrugada.

*

Eu sou caçador lá na Jurema
O meu bodoque atira, atira sem falhar
A minha flecha eu ganhei lá na Jurema
Quando ela zoa, acerta pra matar.

*

Quem vem aí,
Quem vem aí,
É Caboclo Caçador
Ele vem lá de Aruanda
Pra vencer qualquer demanda.

Cachoeira

A água vem caindo pela serra.
Vem descendo pela grota
Vem batendo pelas pedras
É Cachoeira
No terreiro da Umbanda
Vem chegando, vem baixando
A falange do Caboclo Cachoeira

Cajá

Eu sou da mata
Eu sou da tribo do Cajá
Eu fui buscar minha falange
Para todo o mal levar

Caramuru

Uma faísca entre trovões apareceu
No Tupujar Caramuru amanheceu
Naué Tupã, no Tupujar Caramuru
No céu na terra no mar.

Flecheiro

Uma flecha zuniu no ar
Quem seria tão forte arqueiro?
Quando a estrela brilhou na mata virgem
Pude ver o Caboclo Flecheiro.

*

Sou a Umbanda,
Umbanda que vem saravá
Saravo a terra, saravo o mar,
Saravo a força de Pai Oxalá
Saravo a terra, saravo o mar,
Saravo a força deste Gongá.

*

Eu venho de longe
O sol iluminou, eu sou mensageiro.
Caboclo Flecheiro
Como o verde deixando
A bandeira do amor,
E com verde reúno
As forças do Criador.

*

Lá na Jurema
Eu sou Flecheiro Caçador.
La na mata
Eu sou filho de Jurema.
E neste Gongá
Eu sou Flecheiro Caçador de demanda.

Gariroba

Gariroba é... vem Gariroba
Vem chegando de Aruanda

A falange de Gariroba
Vem ajudar os filhos da Umbanda.

Gira-Sol

Gira, gira, gira,
Minha estrela no arrebol
Vai chegando, vai girando,
O Caboclo Gira-Sol.

Guará

Vamos ver juntos onde é
Que ele anda
Ele vai reunir
Todos os filhos da Umbanda.

Guiné

Caboclo do mato, o que você quer?
Folhas verdes, folhas de Guiné,
Folhas verdes, folhas de Guiné,
Folhas verdes, folhas de Guiné.

*

Caboclo do mato
Que é que você quer?
Folhas verdes de Guiné
Zum, zum, zum, Marué,
Zum, zum, zum, Marué.

Jacuri

Caboclo trabalha
Com São Cipriano e Jacó,
Trabalha com a chuva
E com o vento
Trabalha com a lua
E com o sol.

Javari

É, é Caboclo. Na terra da Jurema
Apanha pemba, risca pontos
Filhos da Umbanda
Vem trabalhar
Apanha pemba, risca pontos
Filhos da Umbanda vem ajudar.

Jornada

Um relâmpago que deu
A floresta estremeceu
Com sua Estrela Guia
O Jornada apareceu.

Lírio

Lá no rio Amazonas,
Lá no rio Amazonas
Eu vi um índio caçador,
Que firmava seu ponto
Era o Caboclo Lírio
Com Deus e Nosso Senhor.

Lírio Branco

Sou Lírio Branco
Sou de Guiné
Eu sou Caboclo de Nazaré

Lírio das Matas

Minha Cruz é Sagrada
Minha Cruz é de fé,
Ora quem vai trabalhar é
Caboclo Lírio das Matas,
É filho de Nazaré.

Pedra Branca

Foi no clarão da lua
Na manhã serena
Que ele veio para cá
Ele é o Caboclo Pedra Branca
É filho de Oxalá
E vem com ordem da Virgem Maria
E traz consigo sua Estrela Guia

*

Espia o que corre no céu
E veja onde vai parar

Mas ele é seu Pedra Branca
Ele é Rei Caçador de Orubá.

Pedra Preta

Eu sou Pedra Preta
O parango que está no Gongá
Sou mano Rompe Mato
O parango, e vim vos ajudar.

Pena Branca

Vem ó Caboclo
Vem Pena Branca
Vem trabalhar
Vem dar esperança.
Tu és Caboclo
Da fé e da esperança,
Da luz brilhante e
Da força branca

Rompe-Mato

Eu sou o Caboclo Rompe-Mato
Demandas hei de vencer
Para o Caboclo Rompe-Mato
Não há demanda a perder.

*

É um Rei, é um Rei
É um Rei do panaiã
É da Jurema, lá da Jurema
Rompe-Mato é um Rei

É um Rei do panaiã,
É da Jurema, hoje tem alegria
No terreiro do meu Pai,
Saravá seu Rompe-Mato
Que ele é chefe de Gongá,
Embala eu babá, embala eu babá
Embala eu...

*

Lá no reino de Aruanda
Me chamam de Caboclo
Aqui neste Gongá
Eu sou Rompe-Mato
Cheguei na minha aldeia
Eu cheguei pra saravá
Cheguei na minha aldeia
Com a bênção de Pai Oxalá.

*

Lá na Aruanda
O meu nome é Rompe-Mato
Neste Gongá eu cheguei
Pra saravá
Eu venho com a força de Oxosse
E com a bênção de Pai Oxalá.

Samacutara

Samacutara, mironga e Umbanda
Oi me corre na mata,
Me corre ê
Oi me corre na mata
Tataruê.

Saracutinga

Caboclo Saracutinga
Bebe água no coitê
Atira flecha pro ar.
Vai pegar o que não vê.

Sete Estrelas

Sete Estrelas é Caboclo no céu
Sete Estrelas é Caboclo na terra
Veio brilhando
Na banda veio saravá,
Todo o mal veio cortar.

Sete Flechas

Ele é caboclo, ele é flecheiro
Bumba na Calunga
É matador de feiticeiro
Bumba na Calunga.

*

Diz a lua quando nasce
Por detrás daquela serra
Que clareia a mata virgem
Na cidade da Jurema
Uma choupana onde Sete Flechas mora,
E clareiou a mata virgem.

*

Como é lindo o cocar de seu 7 Flechas
E como está cheio de flores
O seu Gongá Estrela,
Que clareou todos os seus filhos
Que clareou a Juremá.

Sete-Matas

Ele já vem, ele já vai chegar,
Na fé de Oxalá, ele vem trabalhar
Já chegou seu Sete-Matas
Com seu arco e sua flecha
Com licença de Oxalá
Ele vem trabalhar.

Sol e Lua

O Sol e a Lua são dois irmãos
São irmãos gêmeos como Cosme e
(Damião
Povo da Umbanda manda mas não vai,
Tomba mas não cai.

*

Saravá o Sol, Saravá a Lua
Saravá o Sol, Saravá a Lua
Que eu vou girar
Lá na mesa da Umbanda vou trabalhar.

Tabajara

Jurundibaíba de Catenguá
Jurundibaíba já vai girar
Sou Caboclo Tabajara
Eu cheguei pra trabalhar

Tamandaré

Tamandaré, Tamandaré, Tamandaré
Ele é o rei das matas, Tamandaré é,
Ele vai chegar, Tamandaré,
Ele está chamando, Tamandaré.

Tamoio Grajaúna

Eu sou Caboclo, eu sou Tamoio
Eu venho de Aruanda
Eu sou Caboclo e meu nome é Grajaúna
Eu sou Tamoio, eu sou guerreiro
Da Umbanda.

Tapuia

Curindiba chegou de Aruanda
Ê ê ê, Curindiba é guerreiro da Umbanda
Ê ê ê, eu sou Caboclo Tapuia
Vencedor de demanda.

Treme-Treme

A trovoada trovejou,
O relâmpago relampeou
Veio do fundo da terra
Seu Treme-Terra chegou.

Tuperi

Ela é uma linda caboclinha
Muito levada na mata
Eu vou chamar seu Tuperi lá no Urucaia
Uma cobra coral quase lhe mata.

*

A sua banda já lhe chama
Vou chamar no seu Gongá
Lá no Urucaia, caboclo,
Sua flecha, caboclo, venceu demanda.

*

Foi lá naquela mata,
Eu vi um caboclo bonito com seu
(diadema
Quando eu vi, lhe perguntei quem era
Eu sou Tupi, me chamo Tuperi da
(Jurema

*

Eu venho lá do Oriente
Foi Zâmbi quem me mandou
A minha missão é muito grande
Espalhar caridade
E socorrer quem sente dor.

*

Quando eu venho lá de Aruanda
Trago um bodoque e uma pemba na mão,
O meu nome é Tuperi
Cá eu vim pra saravá
Trago proteção de Zâmbi.

*

Seu Tuperi já coroou
Tanto caboclo na floresta
E na cidade do Santi
Ele ganhou seu alogé
Ora que bamba é clima
Olha que bom que é.

*

Seu bodoque atira
A sua flecha zoa
Zunindo no ar
Anunciando que Caboclo Tuperi
Chegou em seu Gongá.

*

Na folha verde da Jurema
Onde o pássaro preto mora
Onde Jesus parou e disse amém
Seu Tuperi já vai embora.

*

Seu Tuperi vai embora
Vai para sua cidade lá na Jurema
Saudades para seus filhos deixa
Embora com saudades ele vai girar.

*

Se é caboclo
Se é filho de Juremá
Pega pemba, assina ponto
Filho da terra vem trabalhar.

*

Jurema deixou suas matas
Vem neste reino girar
Olha um filho de Jurema saravando
Caboclo vem abençoar.

Tupi

Quem vem de lá? Quem vem de lá?
Foi Cacique, foi Pajé,
Da tribo Guarani;
Quem vem de lá? Quem vem de lá?
Eu fui Morubixaba
Meu nome é Tupi.

Tupinambá

Tupinambá, Tupinambá, filho da
(Umbanda
Tupinambá, Tupinambá venceu demanda
Tupinambá, Tupinambá, chefe guerreiro
Tupinambá, Tupinambá vem no terreiro.

Ubirajara

Com tanto pau no mato
Eu não tenho guia
Caboclo Ubirajara
Vai buscar seu guia
Com tanto pau no mato
Não tinha guia Caboclo
Ubirajara já encontrou o guia.

*

Corta a língua, corta mironga
Corta a língua de falador
Onde ele pisa não há embaraço
Ele é Ubirajara do peito de aço.

Urubatã

Urubatã diz que seu tacape é maior
Urubatã ê, a sua flecha é de fé,
Urubatã ê, o seu bodoque é melhor
Urubatã ê, viva a fé de Guiné.

Vento

Peguei na pemba, a pemba balanceou
Peguei na pemba, a pemba balanceou
Cadê Caboclo do Vento?
Caboclo do Vento chegou?
Cadê Caboclo do Vento?
Caboclo do Vento baixou.

Ventania

Aí vem tempestade
Ventania já chegou
Ele vem trabalhar
Foi Santa Bárbara quem mandou

Vira-Mundo

O Caboclo Vira-Mundo
Ele vira, ele vira
Ele faz a sua mira
Ele faz a sua mira
O Caboclo Vira-Mundo
Ele vai virar
No terreiro da Umbanda
Ele vai trabalhar.

Despedida

Lá na campina
Um rouxinol cantou
Ele anunciava
Que alguém chamou
Adeus meus camaradas
Ele vai zoar
Pois já chegou a hora
Oxalá mandou chamar.

*

No cantar da juriti
Os caboclos vão girar
A Jurema já lhes chama
E os caboclos vão embora
Pra Jurema vão voltar.

*

Eles vão girar
Eles vão girar
E na caminhada pra Jurema
Paz e força vão deixar

*

É madrugada
Já cantou a seriema
Os caboclos vão embora
Pra suas verdes campinas
Pra suas terras serenas
Orirê, orirá
Eles vão e tornam a voltar.

DE CABOCLAS

Cabocla Jurema

Arreia os capangueiros
Os capangueiros de Jurema
Arreia os capangueiros
Os capangueiros de Juremá.

*

Ela é uma Jureminha
Muito levada na mata
Uma cobra coral
Quase lhe mata

*

Ô Jurema!
Jurema, como vai você?
Ô Jurema
Eu vim de longe
Só para lhe ver, auê, auê.

*

Jurema, no meio das flores
Você é uma rosa,
Me disseram que
Na sua Urucaia tem guiné
Ó Jurema, rainha do Candomblé.

*

Ó Juremê ó Juremá
Olha teu filho onde está
É no sertão da Jurema,
Olha teu filho onde está,
É no sertão da Juremá.

*

A Jurema veio trabalhar
A Jurema veio saravá
Com ordem de Pai Oxalá
Ela agora vai caminhar.

Cabocla Jussara

Montanha tão alta
E rodeada de flor.
Treme, treme, quá-quá tiara,
Quem comanda esse caminho
É a Cabocla Jussara.

Caboclas do Mar

Quem quer viver sobre a terra
Quem quer viver sobre o mar
Sou a Cabocla Iracema
Ruê, ruê, ruê, é
Ruê, ruê, ruê, é
Ruê, ruê, ruá.

Três Caboclas

Eu já mandei fazer
Três capacetes de penas
Um é pra Jupira
Outro é pra Jandira
E outro, pra Jurema.

Despedida

Ela vai e torna a voltar
Trazendo pros seus filhos
A proteção de Oxalá.

PONTO DO CABOCLO URUCUTANGO

CABOCLA JUREMA

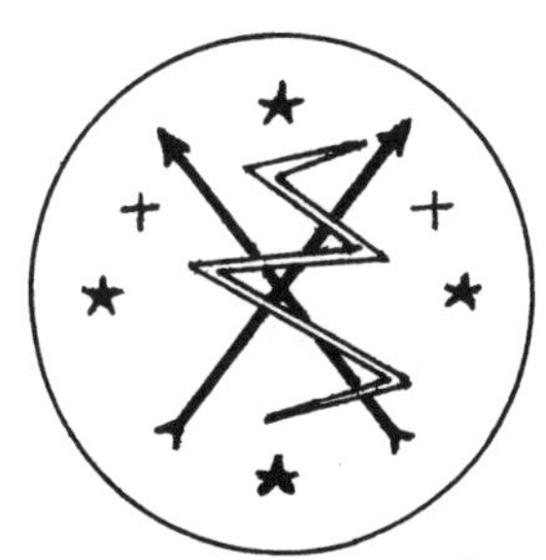

CABOCLO DE IANSÃ

PONTO DE TIMBIRA

PONTO DO CABOCLO GIRA-SOL

CABOCLO 7 FLECHAS

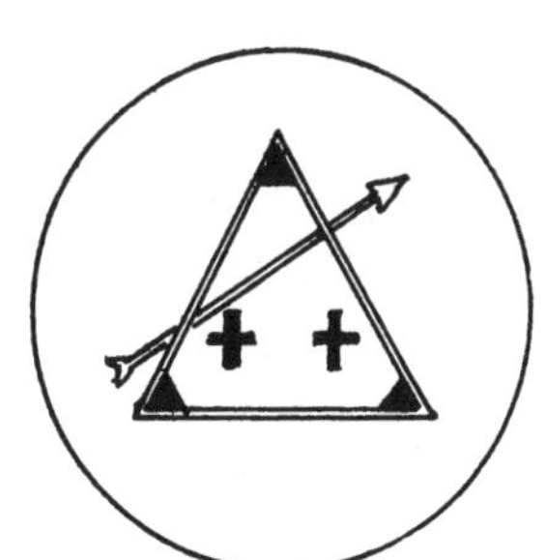

PONTO DO CABOCLO ROMPE-MATO

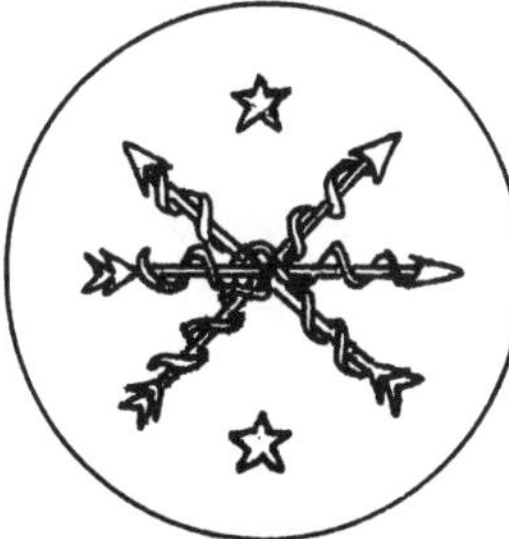

PONTO DO CABOCLO TUPY

PONTO DAS CABOCLAS

CABOCLO AIMORÉ

PONTO DO CABOCLO DO SOL E DA LUA, NA IRRAD. DE XANGÔ

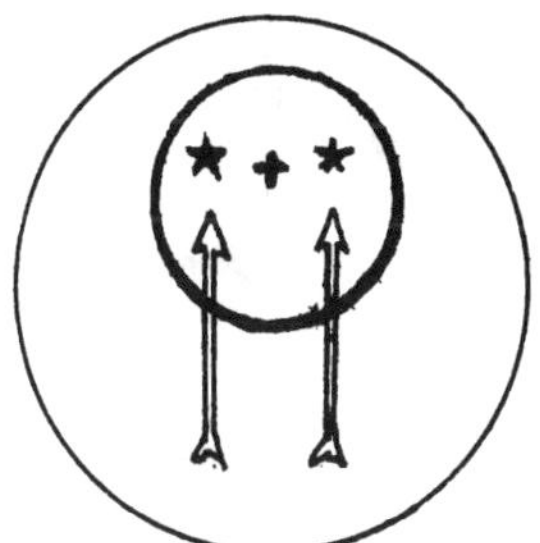

PONTO DOS CABOCLOS TUPAYBA E PERI

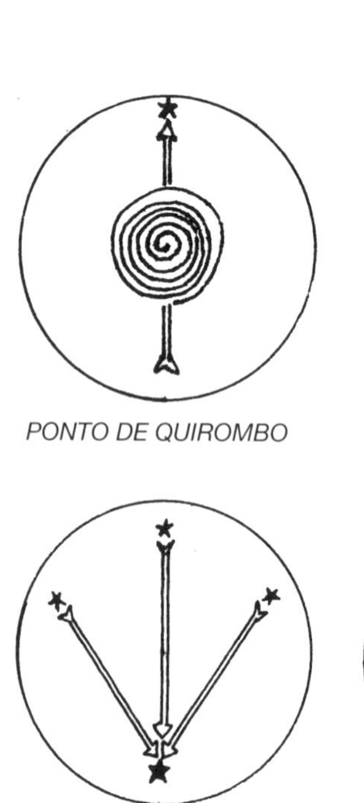

PONTO DE QUIROMBO

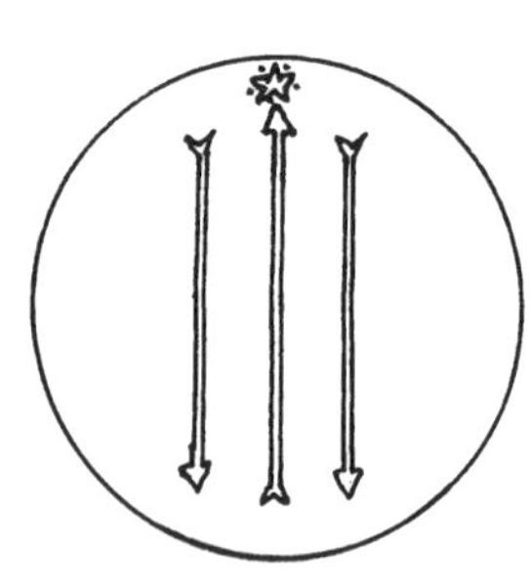

PONTO DO
CABOCLO TUPINAMBÁ

PONTO DO CABOCLO
DO SOL E DA LUA

PONTO DO
CABOCLO PEDRA-PRETA

SETE-FLECHAS

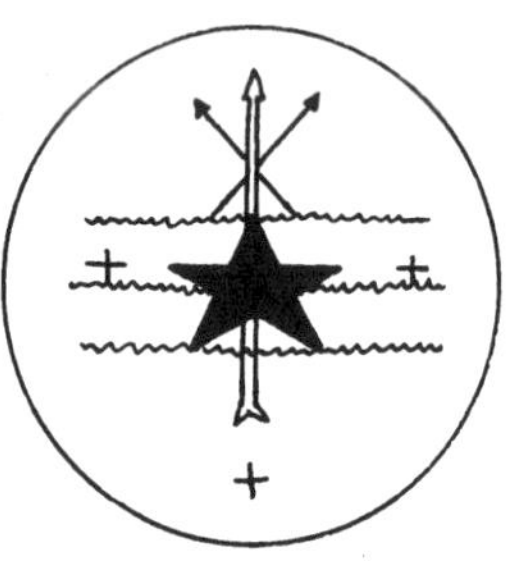

PONTO DO
CABOCLO TUPIARA

PONTO DO
CABOCLO JAGUARÉ

PONTO DO
CABOCLO ARRANCA-TOCO

PONTO DO
CABOCLO SERRA-NEGRA

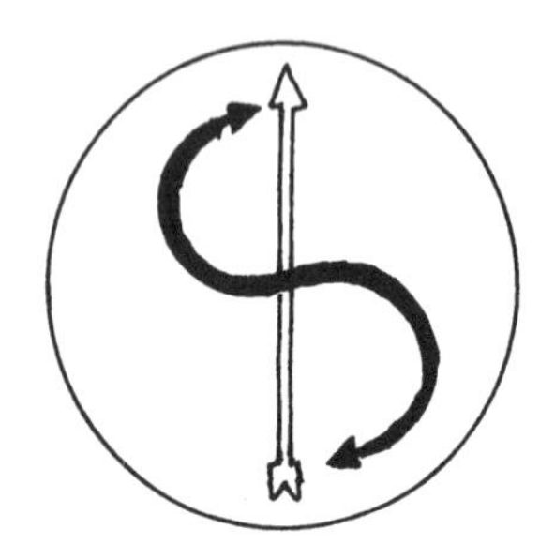

PONTO DO
CABOCLO ARAÚNA

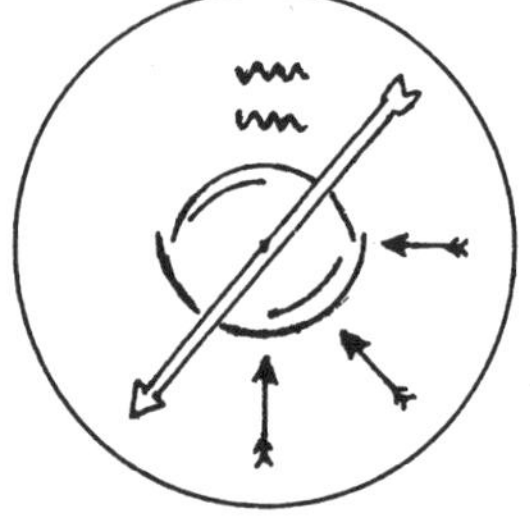

PONTO DO
CABOCLO ÁGUIA-BRANCA

PONTO DOS
ÍNDIOS CARAÍBAS

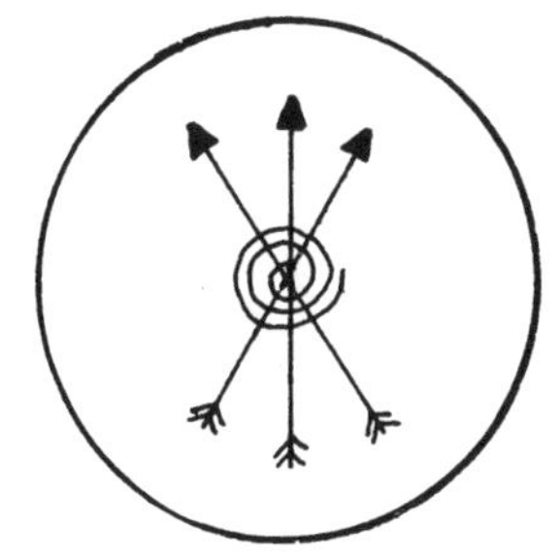

PONTO DE
SÃO BENEDITO (CABOCLOS)

CABOCLA JUREMINHA

JUSSARA

PONTO DO
CABOCLO TUPI

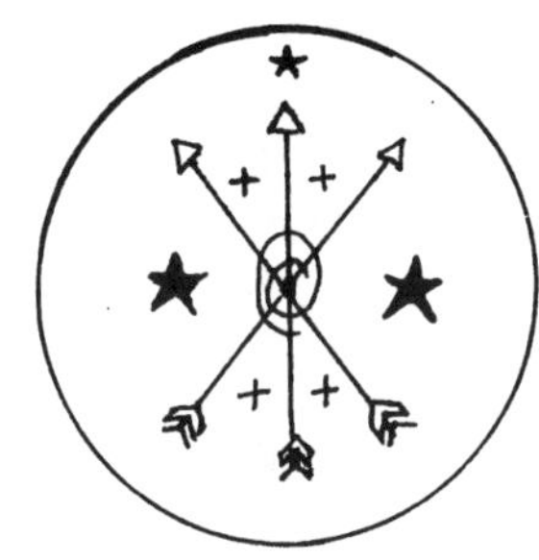

PONTO DO
CABOCLO BUGRE

PONTO DO
CALUNGA DAS MATAS

PONTO DO
CABOCLO UBIRAJARA

PONTO DA
CABOCLA JUREMA

PONTO DO
CABOCLO ARARIBOIA

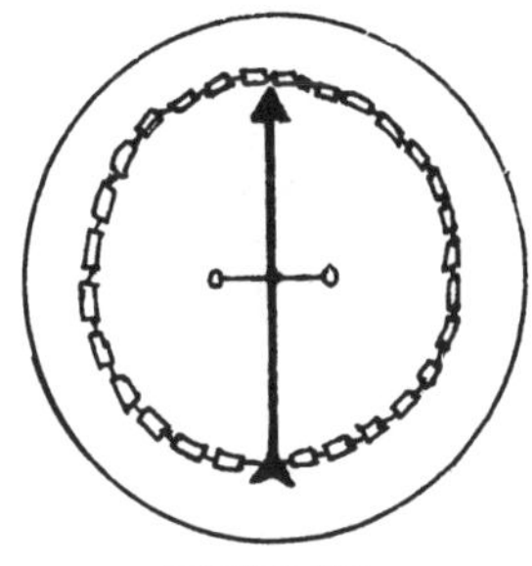

PONTO DO
CABOCLO URUBATÃO

PONTO DO
CABOCLO SERRA NEGRA

SETE CACHOEIRAS

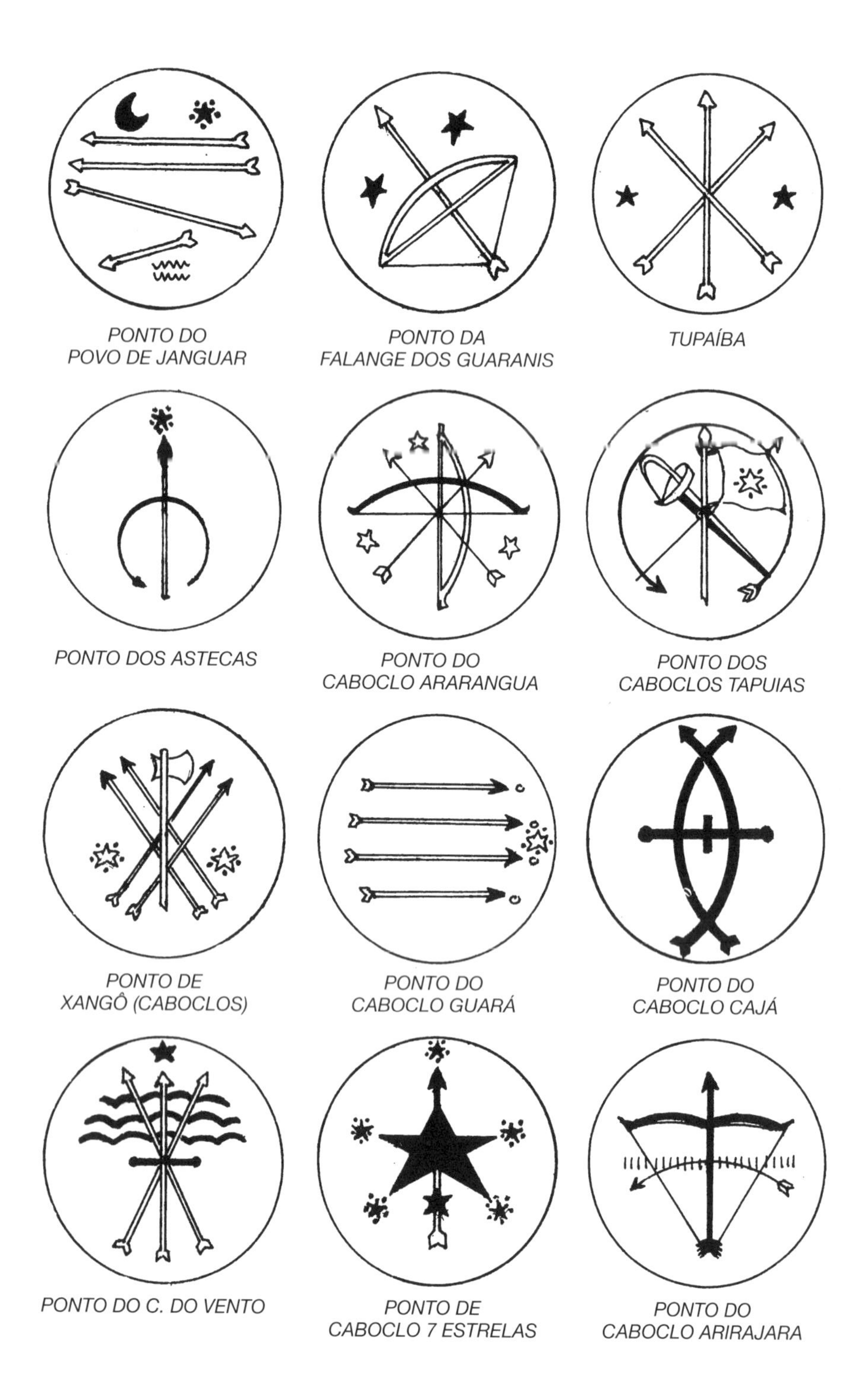
PONTO DO
POVO DE JANGUAR

PONTO DA
FALANGE DOS GUARANIS

TUPAÍBA

PONTO DOS ASTECAS

PONTO DO
CABOCLO ARARANGUA

PONTO DOS
CABOCLOS TAPUIAS

PONTO DE
XANGÔ (CABOCLOS)

PONTO DO
CABOCLO GUARÁ

PONTO DO
CABOCLO CAJÁ

PONTO DO C. DO VENTO

PONTO DE
CABOCLO 7 ESTRELAS

PONTO DO
CABOCLO ARIRAJARA

PONTO DE JIMBAURÊ

PONTO DO
CABOCLO VIRA-MUNDO

CABOCLO TUPIARA

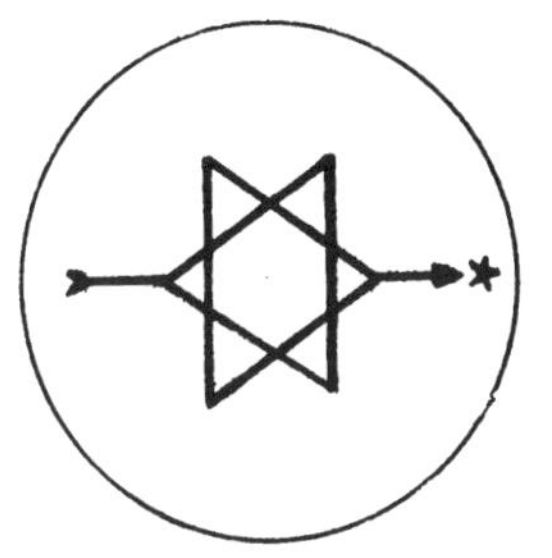

PONTO DO
CABOCLO JAVARI

CABOCLO ZURI

PONTA DO CABOCLO
TARTARUGA DO PARÁ

PONTO DOS
CABOCLOS TAMOIOS

MATA VIRGEM

MATA VIRGEM

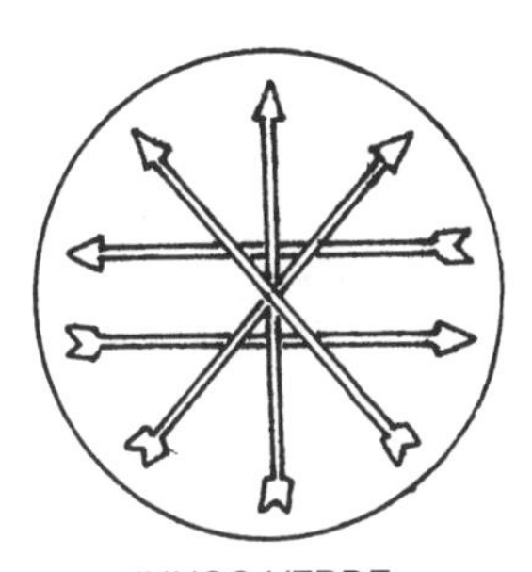

JUNCO VERDE

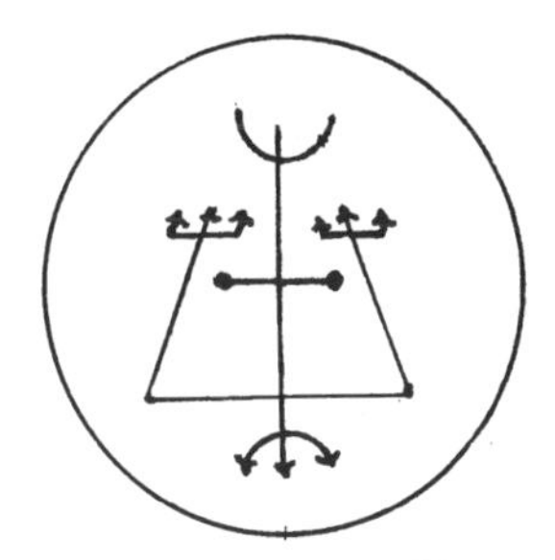

PONTO SEU TIRIRI

PRETOS VELHOS-PAI-VOVÓ-TIA-TIO

DE PRETOS VELHOS

Evocação

Quando eu me lembro
Do meu cativeiro
Do meu cativeiro
Do meu cativerá
Preto Velho na senzala
Não podia mais rezar
Preto Velho trabalhava
Quando o dia ia raiar.

*

Preto Velho da Costa e de Angola
De Cambinda e de Guiné
De Luanda, Congo e Mina
Baixa tudo que eu quero ver.

*

Preto Velho quimbandeiro
Quando começa a rezar
Fumando o seu cachimbo
E de pemba na mão
Canta ponto e risca ponto
Na banda de saravá.

*

Preto Velho foi escravo.
Lá na África foram me buscar.
Me trouxeram lá da Costa
E pra cá fui carregado.
Nesta terra eu cheguei
E cheguei pra trabalhar
Como escravo trabalhei
E na Aruanda fui ficar.

*

Preto Velho trabalhou
Toda vida trabalhou
Mas um dia lá na Aruanda
Oxalá o abençoou.

Chamada

Mangangá zuniu
Zuniu no oco do pau
No oco do pau
É que tem dendê.

*

Preto Velho segura a corimba
Caboclo da Mata mandou lhe chamar
Eu quero ver velho arriar
Eu quero ver velho arriar

*

Preto Velho vem de Aruanda
Vem cá na banda saravá
Vem da Costa

Vem de Mina
Vem de Angola e Guiné
Ele vem de Aruanda
Vem benzer filho de fé.

*

Chega meu povo,
Chega meu povo
Meu povo de Gongá
Chegou Preto Velho
Pra seus filhos saravá.

*

Aé papai, é é
Aé mamãe, é é,
Segura a corimba
Que eu quero ver
Filho de pemba
Não tem querer.

*

É preto, é preto é
É do meu Gongá
É preto, é preto
Vamos todos saravá!

*

Segura a pemba
Passa a mão na ferramenta
Pra chamar o povo da Umbanda
E vamos trabalhar,
Tira daqui
Meu zifio tira de lá
No Gongá
Olha a pemba de Pai Oxalá.

Firmeza

Umbanda veio de cima
Seus filhos saravou
Saravá o Rei da Costa
Salve Mina, Salve Angola
Umbanda chegou
Saravá, Umbanda
Em qualquer lugar.

*

Ai como é lindo
Ver os velhos do Terreiro
Pitando o seu cachimbo
Lembrando do cativeiro

*

Você está vendo
Esse terreiro pequeno
Onde Preto Velho veio morar?
Aqui existe paz e harmonia
Aqui quem manda é Oxalá.

Preto Velho de Angola

Preto Velho angoleiro
Morava num roseiral
Preto Velho angoleiro
Mirongueiro sim senhor.

Preto Velho Rei Congo

Mas ele é o Rei Congo
Ele é, eu já mandei chamar
Eu já mandei chamar
Eu já mandei salvar toda Aruanda
Saravá o povo de Congo
Em qualquer lugar

*

Mas ele é o Rei Congo
Eu já mandei chamar
Eu já mandei chamar
Rei Congo
Para vir neste Terreiro
Pra salvar este Gongá.

*

Povo do Congo é povo valente
Seu Rei de Congo já chegou
Ele veio lá de Aruanda

Com toda a sua banda
Com toda a sua banda.

*

Congo é gira de Congo ê,
Congo é sansaravai, Congo ê
Gira de Congo ê,
Congo ê, sansaravai, ê,
Gira de Congo ê,
Congo ê, sansaravai, ê.

*

Virá, Congo, ó violê
Teré, teré, teré, Congo,
Congo vem chegando olé
Teré, teré, teré, Congo.

Preta Velha

A fumaça do cachimbo de vovó
Só não vê, só não vê
Quem não quer
Mandinga de Preta Velha
Ela traz
Na sola do pé.

Preta Velha (Louvação)

A fumaça do cachimbo da vovó
Só não vê quem não quer.
Ela está tão serena
Sentada em seu Gongá
Ela veio saravá.
Pra seus filhos abençoar.

Despedida

Já deu hora
Já é madrugada
Pretos Velhos aqui na banda
Já romperam a madrugada
Em uma gira só
Eles vão para Aruanda.

*

Aruanda brilhou
Brilhou, brilhou
Oxalá iluminou
E mandou chamar
Pretos Velhos desta banda
Pra Aruanda vão girar.

*

Preto Velho já foi,
Já foi pra Aruanda
Preto Velho já foi
Pra Aruanda já foi,
A bênção, meu Pai
Proteção pra nossa banda.

*

Já deu hora, já deu hora
Na Aruanda o dia amanheceu
Adeus filhos da Umbanda
Pretos Velhos já vão embora

Já deu a hora
Meu galinho já cantou
Já deu a hora,
Meu galinho já cantou
Pretos Velhos se aprontem
Aruanda já chamou.

*

Preto Velho trabalhou
Preto Velho curimbou
Oxalá mandou chamar
Pretos Velhos vão girar.
Vão girar neste Gongá.

*

Lá na Aruanda
Onde canta a juriti
Pretos Velhos vão embora
Deixam seus cavalos aqui.

*

Eles vão embora
Eles vão pra sua banda
Aruanda já chamou

Eles vão, mas depois
Tornam a voltar.

*

Madrugada já chegou
Aruanda já chamou
Pretos Velhos vão embora
Eles vão numa gira só

*

Já é hora, já é hora
Na Aruanda estrela brilhou
Pretos Velhos vão embora
Vão embora pra sua banda

*

Oxalá iluminou
Iluminou toda Aruanda
Pretos Velhos já pitaram
Oxalá já ordenou
Pretos Velhos vão girar.

*

Oxalá mandou
Ele mandou chamar
Pretos Velhos desta banda
Está na hora de girar
Oxalá mandou
Ele mandou girar
Já deu hora na Aruanda
Pretos Velhos vão embora
Vão embora pra Aruanda.

*

Saravá Ogã
Saravá Cambono
Saravá Gongá
Pretos Velhos agora
Vão voltar pra sua banda
Angola, Mina e Cambinda
Eles vão todos girar
Pra Aruanda vão voltar.

*

Pretos Velhos vão embora
Na Aruanda vão firmar
Quem tiver algum sofrimento
É só pedir, que eles vão cortar
Pra Aruanda vão girar
Pretos Velhos vão girar
Vão pro reino de Oxalá
Vão pedir pra abençoar.

*

Já é hora, já é hora
Os Pretos Velhos,
Numa gira só,
Já vão embora.

*

Eles vivem no meio das flores
Olhando o céu
Beirando o mar
Eles são Pretos Velhos da Umbanda
Que vão pra Aruanda
Pra trabalhar.

DE PAI

Pai Agolo-Zulu

Pai ó catiporé
Na calunga
Gira na Aruanda
Gira, gira no Gongá

Pai Antônio

No terreiro de Pai Antônio
Eu vou girar, eu vou girar,
Quem chamar por Pai Antônio
Ele vem saravá, ele vem ajudar.

*

Curimba com eu
Meu Pai Antônio,
Curimba com eu
Na fé de Deus,
Curimba com eu
Nesse Gongá de Deus.

*

No terreiro de Pai Antônio
Eu vou sambar, eu vou sambar,
Quem chamar por Pai Antônio
Ele vem saravá, ele vem saravá.

*

Dá licença Pai Antônio
Eu vim te visitar
Eu estou muito doente
Vim pra você me curar

Pai Benedito

Ô que Preto é aquele
Que vem acolá
É Pai Benedito
Que vem ajudar

*

Tem gongá na calunga
Tem gongá, ê, ê,
Tem gongá na calunga,
Ora tem gongá, ê.

*

Salve o Rei, Salve o Rei
Benedito, no terreiro,
Salve o Rei
Salve o Rei, Salve o Rei
Salve o Rei, Salve o Rei
Benedito, no terreiro
Salve Zâmbi Rei.

*

Pai Benedito vem lá de Aruanda
Ele vem com força e com fé.
Ele chegou aqui no reino
Ele veio pra saravá
Ele veio lá de Aruanda
Forte é seu patuá
Vem na fé de Oxalá.

Pai Benedito de Guiné

Pai Benedito vem de Guiné
Vem de Guiné
Pra salvar filhos de fé
Salve Pai Benedito
Que vem trabalhar
Na fé de Oxalá.

Pai Caetano

Pai Caetano lá de Angola
Traz flores na sacola.
Repinica no Gongá
Que chegou meu povo,
Ele já vem trabalhar.

Pai Caetano de Angola

Pai Caetano lá de Angola
Quando baixa no Gongá
Trazi floris ni sacola
Pra zio fio zinfeitá.

Pai Carlos do Rosário

As almas benditas e santas
Deram a sua bênção
Pai Carlos do Rosário
Trazei-nos a salvação.

Pai Chico

Pai Chico tá congo véio
Tá congo véio de trabalhar
Vem, vem, vem,
Firmando mironga
No seu gongá.

Pai Elesbão de Angola

Meu Deus, que santo é aquele
Que vem vindo de canoa
Louvado seja Jesus
É Pai Elesbão que vem de Angola.

Pai Fabrício

Está iluminada a nossa banda
Está cheio de flor
O meu Gongá,
Meu Pai Fabrício
É tudo o que eu faço.
Meu Pai Fabrício
Ilumina os caminhos
Por onde eu passo.

Pai Feliciano da Guiné

Pai Feliciano que vem da Guiné
Quando chega no terreiro
Louva Senhor Jesus Cristo
Que o livrou do cativeiro.

Pai Firmino de Angola

Lá na Calunga
No reino de Ogum Megê,
No cruzeiro do Omolu
Firmino sabe trabalhar.
Eu venho de Angola,
Eu moro no Cruzeiro das Almas
Pai Firmino vem trabalhar

Pai Firmino venha trabalhar
Firmino angoleiro
Venha me ajudar
Velho Firmino tem carinho para dar,
Mas se você desafia
Tem ponteira pra espetar.

Pai de Guiné

Zunguiné, Zunguiné,
Ora Pai de Guiné,

Ora Pai de Guiné.
Zunguiné veio ajudar,
Ora Pai de Guiné,
Zunguiné veio trabalhar,
Ora Pai de Guiné.

Pai Jacó

Pai Jacó é feiticeiro
Em Aruanda justiceiro
Tira olhados e mirongas.
Com ervas sabe curar,
Em terreiro ele demanda
Quando desce em Umbanda.
Pai Jacó chegou
E seus filhos saravou.

Pai Jerônimo

Pai Jerônimo chegou-ô
Pai Jerônimo saravou.
Pai Jerônimo baixou
Pra levar todos os males
De seus filhos em seu Gongá
Pro fundo do mar.
Ê, ê...

Pai Jerônimo de Luanda

Oi, salve Deus
Salve o povo de Aruanda
Preto Velho chegou no reino
Pai Jerônimo de Luanda.

Pai João

Bate na cumbuca
Repinica no congá
Chegou meu povo
Ora vamos tratalhar.

Pai João Bangulê

Pai João Bangulê, lê, lê,
Pai João Bangulê, lê lá,
João Bangulê, tá, tá, tá
Pai João Bangulê
Tá na Quimbanda.

Pai João de Minas

Pai João que veio de longe
Que veio de cima pra te ver
Que veio de longe
Que veio de Minas
Pra ver você.

*

Ele é João de Minas
Traz a bênção de Oxalá
Montado em seu cavalo
Carreava sem parar,
É boi pra cá
É boi pra lá
Onde é que eu vou
Botar tanto boi.

Pai Joaquim da Costa

Aos pés da Cruz eu me ajoelhei
Pedindo paz e glória
No terreiro que eu achei
Eu vou rezar, vou implorar,
Vou pedir a Pai Joaquim
Para vir no terreiro saravá.

*

Pai Joaquim vem lá da Costa
Com licença de Zâmbi
Pai Joaquim, cadê teu Guia
Curimba de noite, curimba de dia

*

Preto Velho chega no terreiro
Preto Velho se esquece do cativeiro
Pai Joaquim, á, á, á
Tem Preto Velho na Calunga
Filho das santas almas
Vamos todos saravá.

Pai Joaquim de Minas

Na ladeira de Pilar
É tombadô,
Bota fogo no sapê
Pra nascê fulô.

Pai Joba

Hoje é noite de alegria
E o galinho já cantou
Trazia fitas nos pés
E a cruzilhada do Senhor
É de Congo, é de Congo, é de Congo
No terreiro da Umbanda
A proteção de Deus baixou.

Pai Jobim

Santa Rita me valha
Meu Senhor do Bonfim
Chegou povo baiano
No terreiro da Umbanda
Baixou Pai Jobim.

Pai José de Angola

Ele vive no meio das flores
Beijando a lua
No fundo do mar.
Ó meu Pai, Pai José
Que veio de Angola
Que vem saravá.

*

Quem quiser ver, que veja auê,
Quem quiser ver, que veja auá,
Eu sou preto feiticeiro
Eu cheguei pra trabalhar
Eu sou preto feiticeiro
Eu cheguei pra trabalhar
Eu sou filho de Angola
Meu Pai é da Guiné
Minha mãe de Carangola
Eu me chamo Pai José.

Pai José de Aruanda

Salve Deus
E os caboclos de Aruanda
Pai José chegou
No terreiro da Umbanda.

Pai José da Praia

Pai José vem cá, vem cá
Pai José vem trabalhar.
Pai José vem descarregar
Vem levar todo mal
Para o fundo do mar.

Pai Julião

Pai Julião vem de Aruanda
Do reino de Zâmbi
Gira na cangira
Pra seus filhos saravá.
Oi, ele vem de tão longe
Pra ver o seu Gongá
Oi, gira na cangira
Pra seus filhos saravá.

Pai Mineiro (Chamada)

Ah! eu vou plantar o milho
E a formiga vai comer
E no alto da derrubada
Eu quero ver filho tremer

*

Com sete meses de nascido
No encruzo eu fiquei
E no meio do encruzo
Foi lá que me criei
Aprendi muita mironga
Pra meus filhos defender
Achei banda formosa
Onde até hoje trabalhei

*

Esta banda é formosa
Mas filho não dá valor

Aqui tem muito fuxico
Eu corto língua de falador.

*

Chegou Negro Velho
Do peito de aço
No meu caminho
Não há embaraço
Eu corto a gira
Corto a mironga
E corto a língua de falador

*

Por que
Todo mundo me chama na Umbanda?
E olha só Quimbanda
E olha só Quimbanda
E quimbandeiro.

*

Com um chapéu de couro
Casaco de couro cru
Quem se meter com Pai Mineiro
Acaba ficando nu.

*

Pai Mineiro chegou
Já trouxe aqui na banda,
Trouxe pemba e seu porrete
Junto com a sua bagagem
Sua bexiga a tiracolo.
Ele é vencedor de demanda
Saravá meu Pai Mineiro
Saravá este Gongá.

*

Ele vem de muito longe,
Foi Oxalá quem ordenou
Ele vem com Santo Antônio
Pai Mineiro já chegou
Ele veio aqui na banda.

*

Me chamaram de Mineiro
Mineiro eu sei que sou
Me chamaram de Mineiro
Eu não nego meu natural
Mineiro dá, e
Mineiro tira.
Mineiro leva pras ondas do mar.

*

Onde mora Santo Antônio,
Ele mora na limeira
Meu Santo Antônio
Ele mora na limeira

*

Eu cheguei aqui na banda
Esta banda eu firmei
Já corri muita gira
Filho meu abençoei
Já cortei muita mironga
E já muito demandei.

*

Preto Velho já chegou
Cá eu vim pra saravá
A banda já está firmada
Com a força de Oxalá
Santo Antônio já foi chamado
Pra caminho abençoar
Santo Antônio de pemba
Corre gira sem parar.

*

Lá vem Pai Mineiro
Descendo a serra
Ele vem saravá,
E toda a banda
Cheia de flores canta pra o salvar.
Com seu porrete e chapéu de couro
Meu Pai vem girar
Trazendo forças e alegria
Neste Gongá

*

Me chamaram de Mineiro
Mineiro eu não sou não
Eu sou carreiro de boi
Mineiro é meu patrão.

*

Oi salve seu Catete, delo, delo
Oi salve seu Catete na Aruanda
Oi dé, oi dé, oi dé, na Aruanda
Oi salve Pai Mineiro na Umbanda.

*

E lá vem meu Pai Mineiro
Com seu porrete na mão
Ele vem correndo gira
Corre sem parar
Ele é velho feiticeiro
Que a banda veio firmar.

*

Oi, Mineiro ê, oi Mineiro á,
Que banda boa como a de Minas não há.
Oi Mineiro ê, oi Mineiro á,
Quem pisa no Congo de Minas
Tem que pisar devagar.

*

Vamos apanhar ouro, Mineiro,
Apanhar ouro no mar.
João Mineiro estou chamando,
João Mineiro vou chamar.

*

Mineiro eu sou da Umbanda
Sou de guerrear
Mas já vou chegar na terra
Para trabalhar.

*

Ele é João Mineiro
Ele é Mineiro de Carangola
Estava carreando boi
Com Deus e Nossa Senhora

*

Que preto é este
Que veio do lado de lá
É João Mineiro, ele é laçador
Veio de Campos de Minas
Ele veio saravá
É Pai João Mineiro
Ele é laçador.

*

Lá no Congo de Minas
Tem um carreiro bom
Ele é meu Pai Mineiro
Que não gosta de bajulador
Traz consigo sua bexiga
E tem uma que já furou.

*

Ó meu Pai, me dá um gole
Eu também sou bebedor
A garrafa que eu tinha
Bateu na pedra e se quebrou.

*

Corre corre, Mané Congo
Já salvei Joaquim Vintém
Eu Mané estou de ronda
E não deixo passar ninguém.

*

Cadê meu pinto
Que eu deixei no poleiro?
Cadê meu boi
Que eu deixei no curral?
Eu vou dar uma
Volta ao mundo
E quando eu voltar
O meu boi virou bezerro.

*

Eu sou carreiro,
Da Estação Leopoldina
Estava carreando boi
Lá no Congo de Minas.

Pai João Mineiro (Despedida)

Graças a Deus
O meu Pai Oxalá
João Mineiro agora
Vai girar

*

Oi deixe eu subir a serra,
Ó Calunga,
Suba devagarinho.
O Calunga,
Caminho tem espinhos,
Ó Calunga,
Suba devagarinho,
Ó Calunga.

*

Meu galinho cantou na serra
Oi Minas me chama
Eu vou girar
Oi Minas me chama
E eu vou girar.

Pai Serafim

Ó salve as Almas
Serafim na Umbanda
Com copo d'água e vela
Pai Serafim faz mironga
A fumaça do seu pito
Clareia a nossa banda

Pai Serapião

O meu senhor das armas
Não me diga que não
Eu sou preto feiticeiro
Me chamo Serapião.

Pai Velho

Zunguê, zunguê, zá,
Pai Velho recita,
Pedra Preta vai chegar.
Zunguê, Zumbi, Zumbi du du á,
Pai Velho recita,
Pedra Preta vai baixar.

Pai Zé d'Angola

Eu vi a Sereia do Mar
Eu vi Pai Zé de Angola
Pai Zé toma conta dos filhos
E tira areia do fuhdo do mar.

PONTO DE PAI JOBÁ

PONTO DE
PAI JOÃO DE MINAS

PONTO DE PAI VELHO

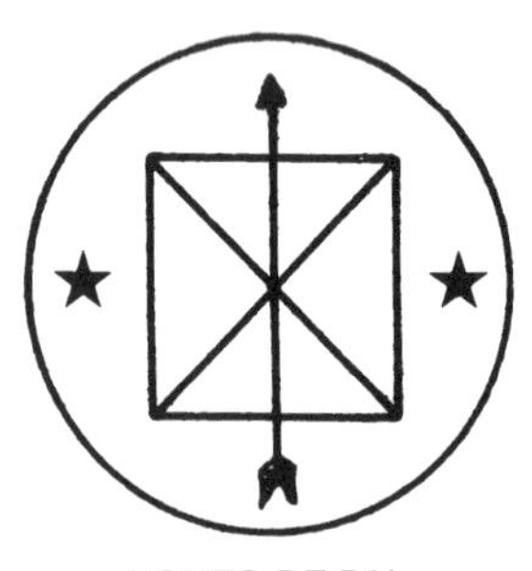

PONTO DE PAI
JOSÉ DE ARUANDA

PONTO DE
PAI AGULÔ (ZULUS)

DE VOVÓ

Vovó Ana

Já vem de longe
Está caminhando
Vovó Ana está chegando.

Vovó Cambinda

Cambinda vamos saravá
Cambinda vamos saravá
Vamos saravá rei do Congo
Oi Vovó Cambinda
Chefe do seu Gongá

*

Cambinda vem de Angola
Vem de Angola, saravá
Saravá Cambinda.
Esta Cambinda de Angola
De Angola vem trabalhar
Esta Cambinda de Angola
De Angola vem saravá.

*

Cambinda é,
Cambinda, á
Cambinda vai chegar agora
Cambinda é,
Cambinda á,
Cambinda é quem vem agora.

Vovó Cambinda da Guiné
Ganga, Ganga, Ganguru
Ganga, Ganga, Ganga, olé.
É a Cambinda da Guiné
É a Cambinda da Guiné.
Vem na Umbanda, auê
Vem na Quimbanda ô,
Vovó Cambinda da Guiné
Vem na Umbanda, ô, ô.

Ó Cambinda da Guiné
Teu pai é Ganga
Ó Cambinda da Guiné
Teu pai é Ganga!

Vovó Chica da Costa da África

Quem me chama
É rei da Umbanda
Por cima da Ponta da Costa
Velha Chica
Vem de Aruanda
Seus filhos ajudar.

Vovó Conga

Vovó Conga tinha sete filhos
Todos sete queriam comer

Mas a panela era muito pequena
Ora parte e reparte
Que ela quer ver.

Vovó Conga do Rosário

Vovó Conga do Rosário
Aé, aé, aé, aá.
Caminhada abençoada noite e dia
Aé, aé, aé, aá.
Reza e canta, outra canta
Oxalá vai abençoar
Reza e canta, outra canta
Muita luz vamos ganhar.

Vovó Generosa do Cruzeiro

Meu cotoquinho de vela
Que meu Bom Jesus me deu
Me fala das almas
Pelo amor de Deus

Vovó Jandira

Vovó Jandira, olha a
Nossa banda, vovó,
Vovó das almas
Vovó de Deus
Vovó de Nossa Senhora
Proteção dos filhos seus.

*

Uma luz apareceu
Nossa banda clareou
Ela veio da linha das almas
Vovó Jandira chegou.
Ela traz uma mensagem
Do nosso Pai Oxalá
Se quisermos proteção
Teremos que respeitar.

Vovó Luíza

Vovó Luíza que chora mironga
Chora mironga de Pai Benguela
Vovó Luíza que chora mironga
Chora mironga de Pai Benguela.

Vovó Manuela

Vovó Manuela
Vem do Congo
Pra todos nós saudar
Saudando nosso Pai Oxalá
Ela vem trabalhar.

*

Vovó Manuela,
Ajude, ajude a seus filhos
Que proteção e auxílio
Aqui vêm pedir
Firmando seu ponto com fé
Trazendo suas guias e pembas
Ela aqui há de vir.

PONTO DE VOVÓ LUÍZA

PONTO DE
VOVÓ BAIANA CONGO

PONTO DE
VOVÓ DA GUINÉ

DE TIA E TIO

Tia Maria
O galo cantou lá na Aruanda
O dia já amanhecia
As almas me avisavam
Que na banda
Tia Maria chegaria
A boa velha não despreza
Quem lhe estima.
A boa velha sempre traz alegria.

*

Tem vintém mamãezinha?
Não tem não
Minha cafio
Olha Tia Maria
Como vem girando,
Olha Tia Maria
Como vem sambando

*

Tia Maria chegou no Gongá
Galo cantou, eu vi coral piar
Segura a pemba
Passa a mão na ferramenta
Pra chamar povo da Umbanda.

*

Quando o galo canta
As almas se levantam
E o mar recua,
Os anjos no céu dizem amém,
Tia Maria do Rosário
Diz Aleluia, diz Aleluia
Tia Maria diz Aleluia

Foi numa noite de lua
Que eu vi Tia Maria chegar
Ela estava tão serena
Sentada no seu Gongá
Erê rê rê rê
Ela veio saravá
Erê rê rê
Pra seus filhos abençoar.

*

Tia Maria chegou no Gongá,
E eu ouvi uma coruja piar.
Tia Maria chegou no Gongá,
E veio com ordens de trabalhar.
Tia Maria, diz Aleluia,
Diz Aleluia, diz Aleluia
Trabalha para os filhos teus
Tia Maria, diz Aleluia,
E vence demanda com a graça de Deus.

Tia Maria da Serra

Ela se chama Maria da Serra
Ela não desce do céu sem Umbanda

Sem a sua Munganga de Guerra
Ela não desce do céu sem Umbanda
Sem os anjos de sua Quimbanda
Ela se chama Maria da Serra.
Ela é Maria do fundo do mar.

Tia Rosa da Bahia

Vem aí Tia Rosa,
Tia Rosa vem aí
Ela é filha da Bahia
Salve o povo da Bahia.

*

Dá licença minha gente
Tia Rosa quer chegar
Nosso Senhor Jesus Cristo
Peço a vós pra iluminar
Tia Rosa da Bahia.

Tio Antônio

Dá licença Tio Antônio
Eu vim te visitar
Eu estou muito doente
Vim pra você me curar
Se a doença for feitiço
Curará em seu Gongá
Se a doença for de Deus
Aí, Tio Antônio vai curar.

*

Preto Velho rezador
Porque não tem defensor
Tio Antônio é quimbandeiro curador
É Pai de mesa, é sim senhor.

*

Tio Antônio é de ouro fino
Suspende a bandeira
E vamos trabalhar
Quem pode com ele
É filho de Zâmbi

PONTO DE TIA MARIA

PONTO DE
TIA MARIA DE MINAS

PONTO DE TIO ANTÔNIO

COSME E DAMIÃO-
POVOS-CATIMBÓ

DE COSME E DAMIÃO

Eu vou contar a Vovó
Que os pequeninos não chegaram,
Ó Cosminho, ó Damião,
Ó Crispim, Crispiniano,

Ó Zezinho, Josefina
Ó Julinha, ó Doum,
Caindé e todos os sete.

*

São dois irmãos
São Cosme e São Damião
Também são irmãos.
Estrela! Estrela!
A estrela e a lua
São duas irmãs.
Cosme e Damião
Também são irmãos.

*

São Cosme e São Damião
Sua santa já chegou,
Veio do fundo do mar
Foi Santa Bárbara quem mandou.
Dois, dois, Sereia do Mar!
Dois, dois, Mamãe Iemanjá!
Dois, dois, meu Pai Oxalá.

*

A estrela e a lua são duas irmãs,
Cosme e Damião também são irmãos.
E Oxalá é o nosso Pai.
Os filhos da Umbanda
Balançam mas não cai.
Balançam mas não cai!

*

Eu pedi a Oxalá
Pra mandar as criancinhas
Vir na banda
Brincar e trabalhar.

*

Tem cocada
Tem guaraná
Ó crianças
Venham me ajudar.

*

Ó Doum, ó Doum
São Cosme e São Damião,
Eu vou dizer a papai
Camaradinha chegou
Ó Doum, ó Doum,
Ó Doum, ó Doum.

*

Olhem só as criancinhas
Como riem de contentes,
Toda essa alegria de luz

Se irradia a toda gente.
Toda essa alegria de luz
Se irradia a toda gente.
E vai pelo espaço sem fim
Iluminar outras gentes.

*

Cosme e Damião
Olha, rei da Umbanda já chegou.
Meu Deus!
Cosme e Damião
Vem saudar os teus irmãos,
Meu Deus!

*

Egô, egô, saravá Cosme e Damião
Egô, egô, saravá Cosme e Damião
Eu vou dizer a papai,
Camaradinha chegou.

*

Egô, egô, salve Cosme e Damião
Vamos salvar todos os ibejis
Camaradinha chegou,
Camaradinha chegou.

*

Fui no jardim
Colher as flores mais mimosas
E a vovozinha me pediu
Mais uma rosa
Para Cosme e Damião.

*

Cadê Doum?
Crispim, Crispiniano
Estão na mesa de Ogum.

*

E lá no céu tem três estrelas
Todas as três têm seu clarão
Olha que uma é o Cosme
Outra Doum, outra Damião.

*

Ó Cosme e Damião
Vamos juntos trabalhar
Vamos implorar ao Pai
Pra este filho se curar.
Vamos implorar ao Pai
Pra este filho se curar.

*

Que luz, que luz tão brilhante
Que luz, que luz tão brilhante
Quanta alegria nos traz
São as crianças chegando
Trazendo consigo a paz.

DE POVOS

Jimbaruê

Jimbaruê, Jimbaruê, Jimbaruê!
Quem é você, Jimbaruê?
Eu venho de Aruanda
Pra salvar filhos da Umbanda.
Minha falange é grande
É muito poderosa.

Tem povo marroquino,
Tem povo beduíno
E tem povo muçulmano.
Eu sou Jimbaruê.
Tiro teima e desengano...

Ori do Oriente

Ori, ori, ori do Oriente...
Ori chegou minha gente!
Ori baixou minha gente,
Ori vem de Aruanda,
Vem salvar filhos da Umbanda,
Ori, ori, ori do Oriente...

*

Ori do Oriente é, vem
Minha gente,
Vem chegando de Aruanda
Salve a fé e a caridade
Salve o povo da Umbanda
Salve o povo cor-de-rosa
Salve os filhos da Umbanda.

Povo de Angola

Capim de Angola
Tá capinando e tá nascendo
Já capinou e tá nascendo
Já capinou e tá crescendo.

*

Angola, Angola
Angola de Preto Velho
Angola,
Angola de Preto Velho
Angola,
Angola de Preto Velho.

*

Nego velho é um angoleiro
Mas ele é o rei maior
Trabalhava na sua Quimbanda
Mas ele é o rei maior.

Povo da Bahia

Ai meu Senhor do Bonfim
Valei-me São Salvador
Vamos saravá minha gente
Povo da Bahia chegou.

*

Santa Rita me valha
Meu Senhor do Bonfim
Chegou o povo baiano
No terreiro da Umbanda
Baixou Pai Jobim.

*

Navio de São Salvador
Chegou carregado de baiano
Trouxe pemba
Trouxe mironga
Trouxe baiano
Pra gente ver.

*

É com uma pemba
É com marafo
Eu faço Zâmbi
É com clarão da lua
Luar, luar o seu punhá
Com a pemba de baiano
Ninguém zomba.

*

Bahia, Bahia, Bahia São Salvador
Quem nunca foi à Bahia
Não sabe o que é coisa boa.

*

Bahia ou África vem cá
Vem me ajudar
Rosa morena, Rosa baiana
Vem cá, vem cá
Vem trabalhar.

*

Povo da Bahia é bom
É muito bom de trabalhar
Sua bagagem é muito grande
Tem pemba, tem dendê, tem guiné.
É, tem dendê,
Tem dendê
Tem marafo e tem dendê
Na cidade de São Salvador
Tem baiano, tem dendê
Tem marafo e tem dendê,
Está cheia de baianos.

*

Na Bahia tem mironga
Na Bahia tem baiana
Quando eles vêm de Aruanda
Louvam Umbanda e Quimbanda.

*

Bahia, Cidade Alta
Terra boa sim senhor
Lá tem tudo que é baiano
Lá é terra de Nosso Senhor
Nosso Senhor do Bonfim
Valei-me São Salvador
Cidade dos feiticeiros
Cheia de rezador.

*

Lua surgiu
Lá no alto da serra.
Estremeceu e vai chegar baiano.
Pra vencer demanda e quebrar mandinga,
Vai chegar todo baiano
Quimbandeiro da Bahia

*

É na Bahia que tem baiano
É na Bahia que tem azeite de dendê
Baiano, baiano, estou lhe chamando
Pra você me defender.

*

Vovó não quer
Casca de coco no terreiro
Pra não se lembrar
Do tempo de cativeiro.

*

Eles vieram da Bahia
Eles vieram pra saravá

Eles vieram da Bahia
Eles vieram trabalhar
Vieram cheios de mandingas
Vieram saravá o Gongá.

*

Bahia, ó África vem cá
Vem me ajudar
Baiana boa, Baiana linda
Vem cá, vem cá
Vem aqui me ajudar.

*

Ó salve os santos da Bahia
Ó salve a mesa de Xangô.
Junto com seu patuá
Não há mesa na Bahia
Que não tenha vatapá
Não há santo bem seguro
Que não tenha patuá.

*

Ai meu Senhor do Bonfim
Valei-me São Salvador
Vamos saravá nossa gente
Povo da Bahia chegou.

*

Tava na estação, auê
Quando o trem chegou, auê
Cheio de baianos, auê
De São Salvador, auê.

Povo de Banguela

Quem desmancha mironga
Oê, é Pai Banguela
Já bateu meia-noite, ora
Vamos trabalhar,
Para o bem da humanidade
E inocente se salvar,
Serra, serra, serrador.
Serrando a mironga
No fundo do mar.

Povo Chinês

Os caminhos estão fechados
Foi meu povo que fechou
Saravá Buda e Confúcio
Saravá meu Pai Xangô
Saravá povo chinês
Que trabalha direitinho
Saravá lei da Umbanda
Saravá fecha caminho.

Povo Congo de Carangola

Pinto piou lá na Angola
Galo cantou na Calunga
Salve Congo que vem de Carangola
Trazendo presente na sua sacola.

Povo do Congo

É Congo é
Gira Congo
É Congo que vai chegar
É Congo é
Gira Congo
É Congo que vai saravá!

*

Virá, Congo, ó virolê
Teré, teré, teré Congo
Congo vem chegando, olé,
Teré, teré, teré Congo.

Povo da Costa

Povo da Costa, povo valente
Ó, rei do Congo, meu pai chegou
Papai ó quirombo girá
Samba lelê ó quirombo
Ó, quirombo, girá
Samba lelê ó quirombo.

*

Povo da Costa é povo bom
Ele é povo de massada

Quando chega de Aruanda
Fica todo ensarilhado
Baixa, baixa meu povo baixa
Ora baixa devagar
Baixa, baixa meu povo baixa
Pra todo mal levar.

Povo de Ganga

Povo de Ganga auê
Ora povo de Ganga auá
É Ganga eu quero ver
O povo no Gongá
Ora ganga zuê
Ora ganga zuá
Ora ganga zuma
Cabinda vai chegar
Cabinda vai baixar
Cabinda de ganga, Urubandá.

Povo de Moçambique

Duribanda de catutu é
Duribanda de catuê
Surumbambaia de cajururu ê
Surumbambaia de camunguerê.

Povo Turumbamba

Turumbamba na mesa de Umbanda
Chegou meu povo
Que veio trabalhar na mesa de Umbanda

Povo Zulu

Coziribambo é de Bangulê
Coziribambo é de Bangulá
Coziribambo uriqui de bambo oi
Coziribambo de curimbamba
Pemba pembá pemba de todos orixás
Pemba pembá

Saudação a Todas as Linhas

Salve as linhas da Umbanda,
Salve Ogum, salve Iemanjá,
Saravá Oxosse,
Xangô e Oxalá.

Salve a lei da Quimbanda;
Salve os caboclos e o maioral
Saravá Ganga e Exu;
A linha das almas
E Kaminaloiá!

Simiromba

Simiromba é, vem Simiromba
Com a cruz na mão, Simiromba
Como ele vem contente, Simiromba
Trazendo a nossa redenção,
Simiromba

Timbiri

De quando em quando,
Venho de Aruanda,
Trazendo Umbanda pra salvar
Filhos de Fé.

Ó marinheiro,
Olha as costas do mar,
É o japonês, é o japonês,
Olha as costas do mar.
Egum, Egum, Egum de Timbiri...
Olha as costas do mar,
Que é do Oriente.

Zartu-Hindu

Brilhou um clarão no céu.
Oi meu Deus o que será?
É Zartu chefe indiano,
Que vem nos ajudar.
E vem com sua falange,
Pra todo mal levar.

DE CATIMBÓ

Abrindo a Mesa

Bate asa e canta o galo
Dizendo: Cristo nasceu!
Cantam os anjos nas alturas
Rei Nuíno (bis)
Glória no céu se deu.

Por Deus eu te chamo (bis)
Por Deus te mandei chamar
Mestre (fulano de tal...)

Glória no céu se deu
Nas portas do Juremá
Abra e dê licença Santa Tereza
Pros Senhores Mestres baixar.

Ó minha Santa Tereza
Pelo amor de Jesus
Abra a mesa e dê licença Santa Tereza
Pelo irmão João da Cruz.

*

Abre-te mesa do Ajucá
Rebenta-se a cortina da porta real
Abre-te mesa do Ajucá
Rebenta-se a cortina da porta real

Dai-me licença senhores Mestres
Senhores Mestres do outro mundo
Dai-me licença senhores Mestres
Senhores Mestres do outro mundo
Com as forças da Jurema
E as forças do Ajucá.

Vamos chamar os meus Mestres
Da cidade do Butim
Vamos chamar os meus Mestres
Da cidade do Butim
Quero os meus caboclinhos
Caboclinhos, caboclinhos.

Mestre do Ajucá

Meu Ajucá é um bom cavaleiro
Ele anda no mundo
Risca no Terreiro
Ele anda no mundo
Risca no Terreiro

Mestra Bevenuta

Vamos minha gente
Para o rio Jordão
Ver a Mestra Bevenuta
Rei Nuíno (bis)
Com um raminho de ouro na mão.

Diz se a lua é nova
Clareando as mesas
E a Mestra Bevenuta
Rei Nuíno (bis)
Triunfando na Princesa.

Mestre Carlos Violeiro

De longe eu venho saindo
De longe eu venho chegando
Tocando a minha viola
E as meninas apreciando.

*

Na passagem dum riacho
Maria me deu a mão
O prometido é devido
É chegada a ocasião.

*

Mestre Carlos é bom Mestre
Que aprendeu sem se ensinar
Três dias passou caindo (bis)
No tronco do Jurema
E quando se levantou
Foi pronto pra trabalhar.

*

Colega, dá-me um cigarro
Que eu também sou fumador
A pontinha que eu trazia
Caiu na água, se molhou.

Colega, dá-me uma bicada
Que eu também sou bebedor
A garrafa que eu trazia
Caiu no chão, se quebrou.

Mestre Bem-te-vi

Pássaro valente é (bis)
O pássaro Bem-te-vi
Está dentro do perigo.
Está dizendo pode vir.

Mestre Carlos Velho
Pitiguari está cantando
Oh! meu Deus o que será?
Uns cantam, outros assobiam
A sorte Deus é quem dá.

*

Eu sou planeta dos montes
Que faço chover no mundo
Não prometo pra faltar
Sou primeiro sem segundo.

Mestre Major do Dia

Sou um soldado de cavalaria (bis)
Eu sou Mestre
Sou Major do Dia.

Mestre Feiticeiro de Luanda

Meu pássaro preto
Meu anum mará
Meu pássaro preto
Meu anum mará,
Tá chegando a hora
Do Mestre matar
Tá chegando a hora
Do Mestre flechar
Tá chegando a hora
Do Mestre curar.

*

Meu galo preto
Do pé amarelo
Meu galo preto
Do pé amarelo
Tu cantas, tu danças
E faz o que eu quero.

Mestre Juarez

Oh! Juarez cadê
Teu caminhão.
Oh! Juarez cadê
Teu caminhão.

Deixei na porta de casa
E vim no carro do Barão.

Mestre Malunguinho

Minha Santa Tereza
Minha Santa Terezinha
Eu venho da Jurema
Com meu Mestre Malunguinho
Eu venho da Jurema
Com meu Mestre Malunguinho

Mestra Maria Salomona

Ó que campo tão lindo
E meu gado todo espalhando
Sou a Mestra Maria Salomona
Que venho o meu gado ajuntando...
Sou a Mestra Maria Salomona
Que venho o meu gado ajuntando...

Mestra Maria do Acaí

Galo preto rumanisco
Que canta no meu Terreiro
Canta no pé da Jurema
Meu Jesus
Lá no pé de meu cruzeiro.

Quando eu baixo
Nesta mesa
Eu baixo pra trabalhar
Venho dominando as mesas
Meu Jesus
Pra ninguém me dominar.

Mestre Tertuliano

Que cidade é aquela
Que eu de longe estou avistando
É cidade de Campo Verde
Tertuliano vem chegando.

É de Panema, é de Panema,
Tertuliano vem chegando da Jurema
É de Panema, é de Panema
Salve os Senhores Mestres
Da cidade da Jurema.

Mestre Tamandaré

Tamandaré, Tamandaré,
Sou rei Nanã
Tamandaré de Juremá
Sou rei Nanã
Eu matei com 14 anos
Sou rei Nanã
A minha flecha é muito forte
Sou rei Nanã.

Mestre Três Pauzinhos

Três pauzinhos
Mandou me chamar
Já foi, já veio
Lá do Juremá
Já foi, já veio
Lá do Juremá

Mestra Vicência

Sou a Mestra Vicência
Do lado de lá
Sou Mestra das Mestras
Do meu Ajucá
Eh... eh... eh...

Mestre Zezinho do Acaí

Cantando eu venho
Folgando eu estou
Cantando eu venho
Da minha cidade.

A minha barquinha nova
Nela eu venho
Feita de aroeira
Que é um pau marinho.
Quem vem dentro dela
É o meu Jesus
De braços abertos, cravados na cruz.

Mestre Zé Pilintra

Sou o Mestre Zé Pilintra
Negro do pé derramado
Quem mexer com Zé Pilintra
Está doido ou está danado.
Seu doutor, seu doutor,
Bravo senhor

Zé Pilintra chegou
Bravo senhor,
Na mesa da Jurema
Bravo senhor...
Se você não me queria
Pra que me convidou!
Seu doutor, seu doutor,
Bravo senhor...

CONGO-GUINÉ-CAMBINDA-ARUANDA-GANGA-PROTEÇÃO

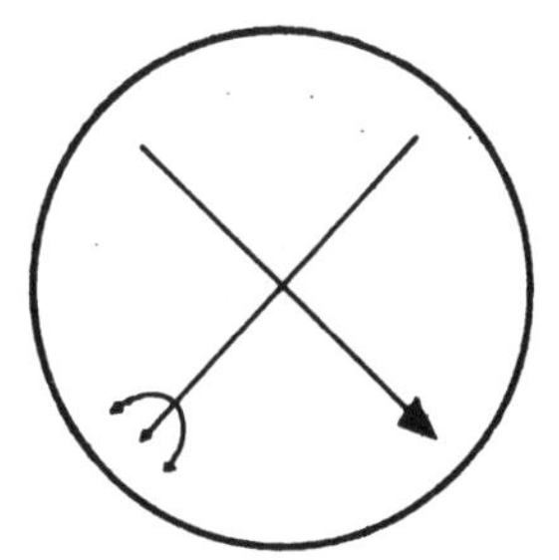

PONTO DE
CAMBINDA DE GUINÉ

PONTO DE
REI CONGO DE ARUANDA

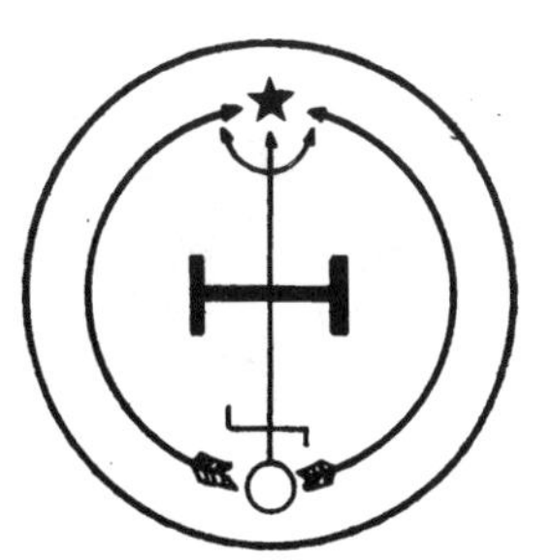

PONTO DE
CABINDA DE GUINÉ

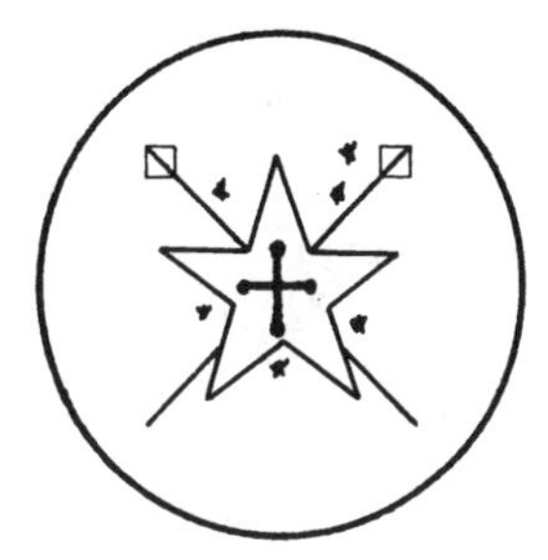

PONTO DO REI DE CONGO

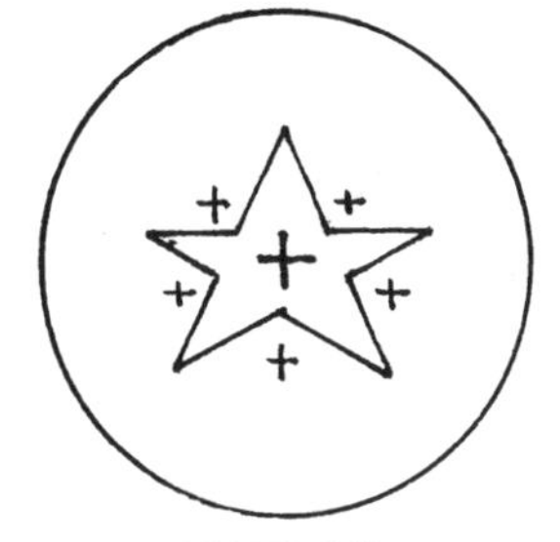

PONTO DO
POVO DE CONGO

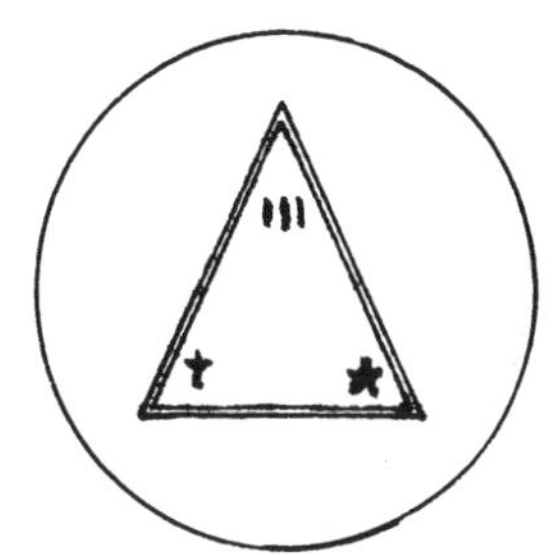

PONTO DO POVO DA
COSTA (PAI CABINDA)

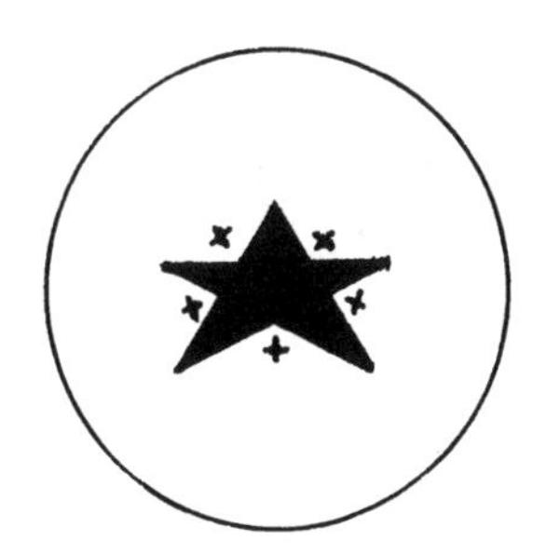

PONTO DO
POVO DE CONGO

PONTO DE
GERERÉ REI DE GANGÁ

PONTO DE MARIA CONGA

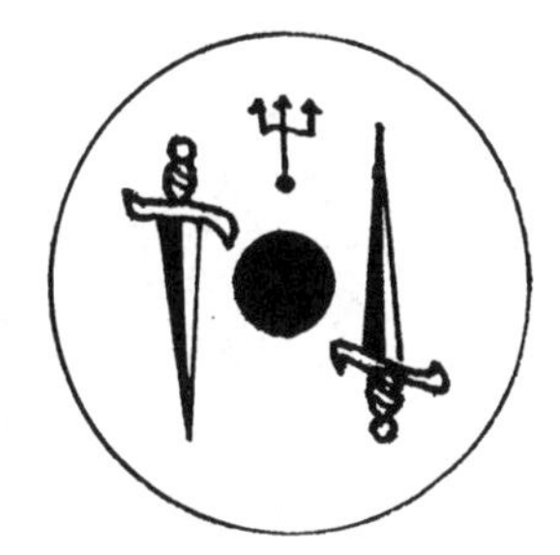

PONTO DE
MARIA REDONDA

PONTO DE JOÃO DE RONDA

PONTO DOS
GAULESES OU ROMANOS

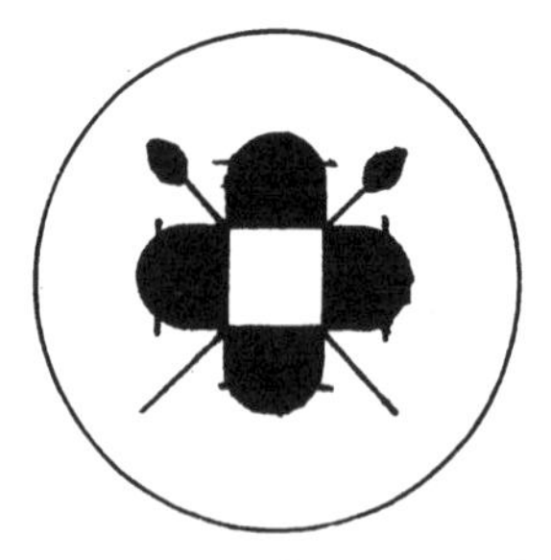

PONTO DE JOÃO BANGULÊ

PONTO DE
ORI DO ORIENTE

PONTO DE JOÃO BATUÊ

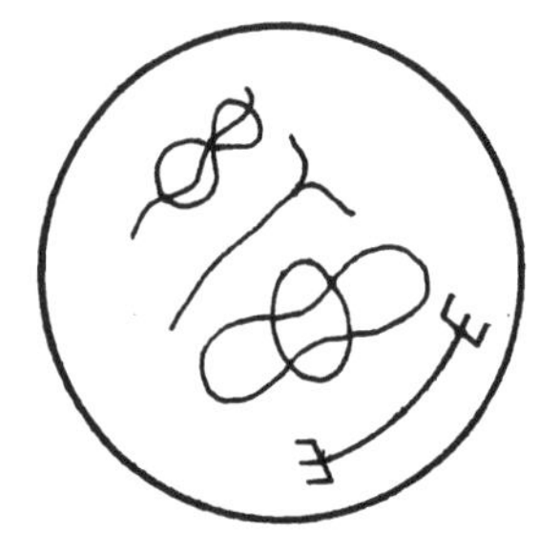

SIGNO DE SEGAL

PONTO DE JOÃO BATÃO

PONTO DE
ZARTU (O INDIANO)

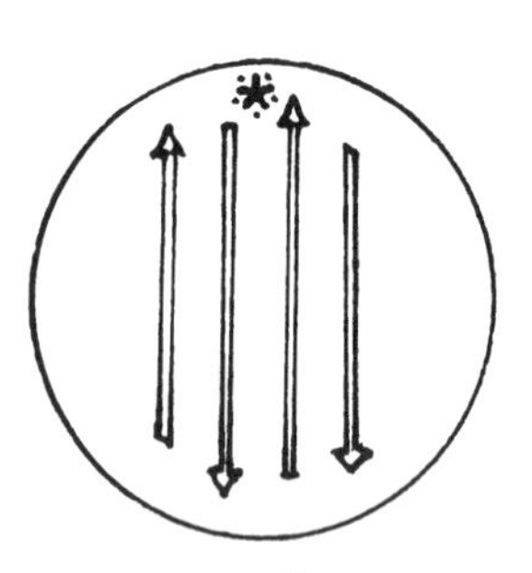

PONTO DE SÁ MARIA
DE PAI BENEDITO

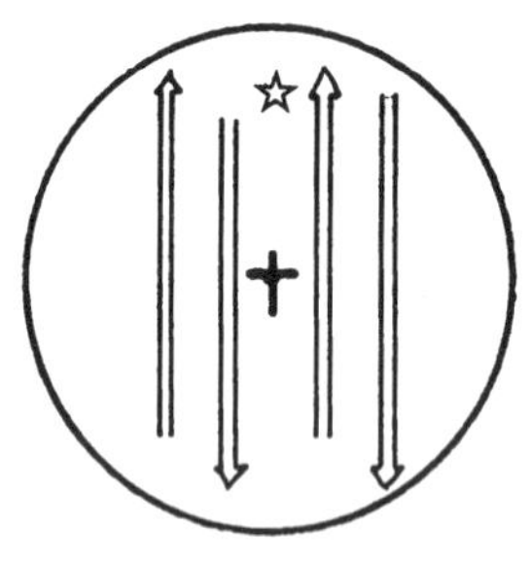

PONTO DE SÁ MARIA
DE PAI BENEDITO

SANTA BÁRBARA

PONTO DE SÃO GABRIEL

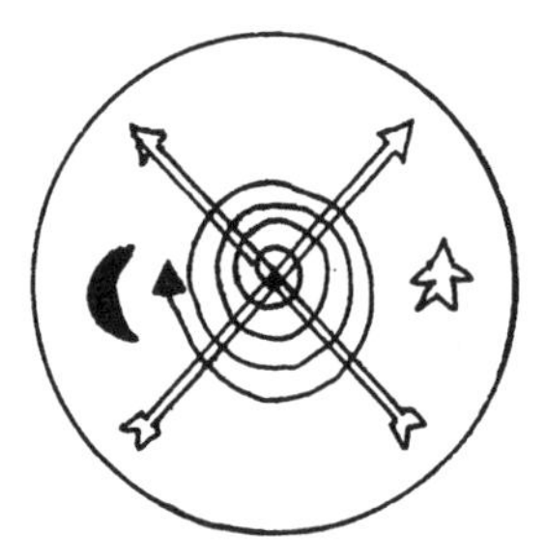

PONTO DE SANTO
ANTÔNIO (AMARRAÇÃO)

MARIA SANTÍSSIMA

PONTO DE
SÃO JOÃO BATISTA

PONTO SÃO RAFAEL

SIMIROMBA (S.F. DE ASSIS)

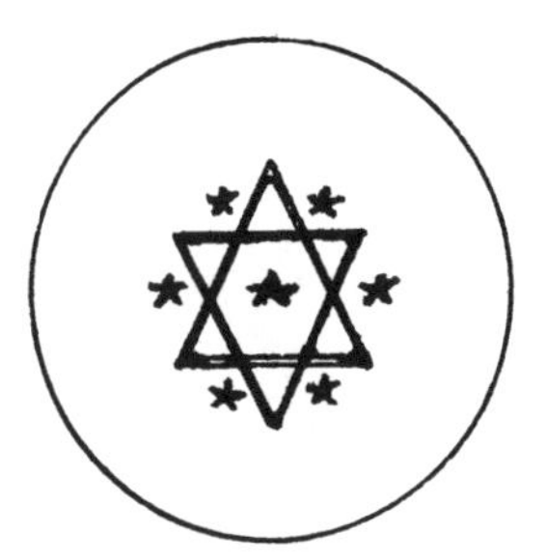

SAO CIPRIANO

PONTO DE
SÃO MIGUEL ARCANJO

SAO JOÃO BATISTA

SÃO FRANCISCO

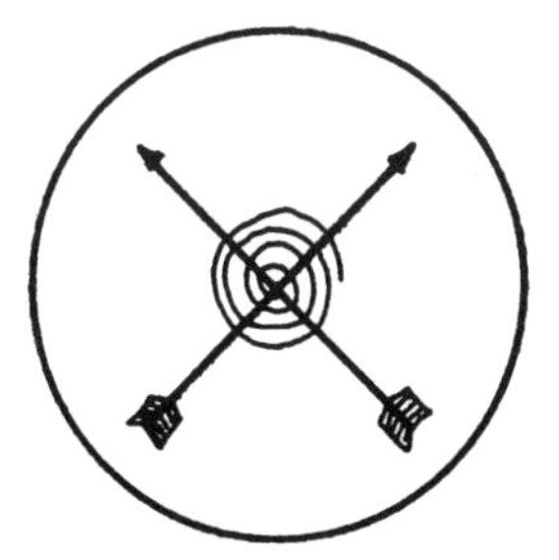

PONTO DO SANTO
ANTÔNIO (AMARRAÇÃO)

PONTO DO POVO DA
BAHIA
E SENHOR DO BONFIM

N. S. DAS DORES

Este livro foi impresso em agosto de 2020, na Gráfica Vozes, em Petrópolis.
O papel de miolo é o offset 75g/m², e o de capa cartão 250g/m²